Avec Dieu de jour en jour

POUR LA VIE DE PRIÈRE DES JEUNES

Françoise Darcy-Bérubé et Jean-Paul Bérubé

Illustrations: Carmen Batet

ÉDITIONS DE L'ABC
MONTRÉAL

ÉDITIONS FLEURUS
PARIS

TABLE DES MATIÈRES

Imprimatur:
Mgr Bernard Hubert
Évêque de Saint-Jean, Qué.
Le 25 janvier 1986

ISBN: 2-7625-8011-0

Dépôt légal: 3e trimestre 1986
Bibliothèque nationale du Québec
Bibliothèque nationale du Canada

Imprimé au Canada

Distribué par:

Les Éditions Héritage Inc.
300, avenue Arran
Saint-Lambert, Qué. J4R 1K5
(514) 672-6710

Les Éditions Fleurus
11, rue Duguay-Trouin
75006 Paris, France
Tél.: (1) 45.44.38.34

Comment utiliser ton livre

Regarde bien le titre de la couverture: il te rappelle cette chance extraordinaire que nous avons de pouvoir vivre ***avec Dieu de jour en jour****!*

Nous qui croyons en Jésus, nous savons qu'il reste avec nous, quoi qu'il arrive. C'est notre meilleur ami. Il nous connaît par notre nom. Il est toujours prêt à nous écouter, il nous aime et nous comprend, nous pardonne et nous encourage. Il veut nous aider à réaliser nos rêves, à bâtir l'amitié et la paix, à trouver la joie sur nos chemins.

Avec ce livre, tu apprendras à mieux écouter le Seigneur, à lui parler en toute occasion. Tu pourras aussi te préparer à mieux célébrer les grandes fêtes de l'année liturgique.

Sers-toi de ton livre très librement, pour réfléchir et pour prier, quelques instants chaque jour. Peut-être aimeras-tu le faire surtout le soir avant de t'endormir.

Parfois, tu prieras avec joie, d'autres fois, tu n'en auras guère envie. Essaie de le faire quand même, pour être fidèle à l'amitié du Seigneur. Ainsi, de jour en jour, tu grandiras dans la foi.

Si tu le veux, tu peux inviter quelqu'un de ta famille à prier avec toi: ***"Là où deux ou trois sont réunis en mon nom, je suis au milieu d'eux."***

Pourquoi prions-nous ?

Regardons le Seigneur Jésus. Pour lui, c'était très important d'être uni à son Père, d'accueillir son amour, de vivre en sa présence. Aux gens qu'il rencontrait il disait : «*Cherchez d'abord le Royaume des cieux...*»

Souvent durant le jour et même la nuit, Jésus passait de longs moments à parler à son Père. Il l'écoutait, lui disait tantôt sa joie, son émerveillement, tantôt sa peur, sa peine ou sa tristesse.

Les évangiles nous rapportent que Jésus priait d'une façon extraordinaire. Un jour, ses disciples lui ont même dit : «*Seigneur, apprends-nous à prier.*» Et Jésus, qui était heureux de leur demande, les a aidés volontiers.

Si Jésus savait si bien prier, c'est parce qu'il comprenait, mieux que personne, le grand amour de Dieu notre Père et qu'il voulait y répondre de tout son coeur.

Alors, pourquoi prions-nous ?... Tout simplement pour être, comme Jésus, avec Dieu notre Père qui nous aime et qui attend notre amour.

« Tout seuls, nous ne savons pas prier. »

Romains 8, 26

Comme il a fait pour ses apôtres, Jésus veut aujourd'hui nous aider. Et comment nous aide-t-il ? En nous donnant son propre Esprit, qui est Dieu lui-même, comme le Père et le Fils.

C'est ce que nous dit le signe du baptême. Par ce sacrement, nous savons que l'Esprit de Jésus est avec nous pour nous conduire sur les chemins de la vie éternelle.

Si nous l'écoutons dans notre coeur, si nous lui sommes fidèles, l'Esprit Saint nous apprendra à prier Dieu chaque jour dans la joie, la confiance et l'action de grâce.

† **Seigneur Jésus,**
avec tes amis les apôtres,
j'aurais bien aimé te regarder prier.
J'imagine un peu la lumière sur ton visage et la joie dans ton coeur
quand tu parlais à ton Père !
Je sais pourtant que tu es avec moi :
tu me donnes ton Esprit qui m'apprend
à te ressembler et à te suivre.
Je te remercie et je veux, avec toi,
découvrir de plus en plus
le grand amour de Dieu notre Père.
Amen.

Gens de toute la terre, chantez pour Dieu !

Dans tous les pays du monde, à chaque moment, il y a des gens qui parlent à Dieu dans leur cœur pour lui rendre grâce, lui chanter des louanges, pour lui dire leur amour ou leur confiance.

C'est bon de savoir que nous ne sommes pas seuls quand nous prions : nous sommes unis, par le Saint-Esprit, dans une grande famille, la famille des enfants de Dieu !

a prière, c'est si important que certaines ersonnes ont choisi d'y consacrer leur ie. Plusieurs d'entre elles vivent dans des nonastères.

toutes les heures du jour et même de la uit, elles essaient, avec l'aide du Saint-Esrit, d'accueillir en elles l'amour de Dieu, le s'ouvrir davantage à son Royaume.

Ces personnes occupent dans l'Église une place spéciale : elles nous représentent devant Dieu. En notre nom, elles louent le Seigneur. Elles prient aussi au nom de tous les gens qui ne connaissent pas Dieu. Elles demandent à Dieu que, tous ensemble, nous vivions comme ses enfants et que nous bâtissions un monde meilleur, un monde de justice et d'amitié.

Pense parfois à ces personnes que tu ne connais pas, mais qui, chaque jour, prient le Seigneur avec toi et même pour toi. Unis-toi à elles. Demande au Seigneur de les bénir, de les faire grandir dans son amitié.

Où et comment prier?

**Il y a mille façons d'aimer.
Ainsi, il y a mille façons de prier.**

Où que nous soyons: sur la rue, à l'école, en autobus..., nous pouvons nous arrêter un court instant pour penser dans notre cœur au Seigneur. Parce que Dieu est notre Ami, il est normal que nous lui parlions de ce que nous voyons, de ce qui nous arrive, de nos joies, nos projets, nos difficultés, nos peines, etc.

Certains jours, cela nous aide d'utiliser des prières écrites par d'autres. Il y en a plusieurs dans ton livre. Tu pourrais apprendre par cœur celles que tu préfères et les redire aussi souvent que tu le voudras.

Notre corps prend part à notre prière, spécialement quand nous chantons, quand nous prions à voix haute ou encore quand nous exprimons par des gestes les sentiments qui sont en nous.

Nous aimons aussi réserver chaque jour quelques moments le matin et le soir pour être davantage avec Dieu. C'est une façon de lui montrer comme son amitié nous est précieuse.

Parfois, nous prions avec d'autres : à la maison, en classe, à l'église, à l'occasion d'une excursion, etc.

Tous, nous avons besoin de prier ensemble. Cela nous encourage, nous stimule, nous unit les uns aux autres. À ces moments-là, nous nous sentons vraiment membres de l'Église, appelés à vivre comme frères et soeurs dans une même grande famille.

Nous savons aussi que Jésus est avec nous d'une façon toute spéciale quand nous prions ensemble; rappelle-toi sa parole :

« Là où deux ou trois sont réunis en mon nom, je suis au milieu d'eux. »

Matthieu 18,20

Une façon de prier : la méditation

Si nous voulons connaître Dieu de plus en plus, grandir dans l'amitié de Jésus et mieux comprendre notre foi, nous avons besoin de méditer.

Certains pensent que seules les grandes personnes peuvent méditer. En fait, plusieurs jeunes le font et apprécient beaucoup cette façon de prier.

Qu'est-ce que méditer ? Voici d'abord deux exemples qui vont t'éclairer :

Quand tu as lu l'histoire d'une personne que tu admires beaucoup, tu aimes revenir à cette histoire. Chaque fois, tu y découvres des choses nouvelles et tu as l'impression de connaître de mieux en mieux cette personne.

De même, quand tu reçois une lettre d'une personne qui t'est chère, tu conserves précieusement sa lettre, tu la relis plusieurs fois, spécialement quand cette personne te manque ou que tu as besoin de son encouragement.

Ce que tu fais dans ces deux cas est une sorte de méditation. Tu cherches un endroit tranquille. Tu relis l'histoire qui te captive ou la lettre que tu gardes. Tu y réfléchis dans ton cœur. Tu y trouves joie et réconfort, et ainsi ta vie s'en trouve enrichie.

Alors, qu'est-ce que méditer ?

Méditer, c'est tout simplement faire le calme en nous, dans notre corps, notre esprit et notre cœur, pour être capables de penser vraiment à quelque chose ou à quelqu'un qui a beaucoup d'importance pour nous.

Comment méditer ?

Il faut d'abord préparer ton corps et ton cœur. Voici comment tu peux le faire :

- Choisis un endroit et un moment tranquilles.
- Installe-toi confortablement. Détends-toi et fais silence en toi, en respirant lentement et profondément. Sens le bienfait de l'air qui remplit tes poumons. Expire à fond. Continue ainsi jusqu'à ce que ton corps et ton esprit soient détendus et paisibles.
- Prends conscience que l'Esprit de Jésus est avec toi pour t'aider à prier. Puis commence ta méditation. (Voir page 12.)

Trois façons de méditer

Quand tu le voudras, essaie l'une des expériences suivantes:

À partir de l'Évangile

- Prépare-toi comme on vient de l'expliquer: Fais silence dans ton cœur. Ferme les yeux. Prends conscience que l'Esprit de Jésus est avec toi pour t'aider à prier.
- Choisis le récit de l'Évangile que tu veux méditer. Lis-le, ou simplement rappelle-le à ta mémoire.
- Ferme à nouveau les yeux. Imagine que tu vis toi-même cette histoire: tu vois Jésus, tu l'écoutes, tu aperçois et entends les autres personnages qui sont dans l'histoire.
- Imagine ensuite que Jésus te parle. Tu portes attention à chacune de ses paroles et tu lui réponds comme tu le désires.

À partir d'un beau texte

Ce texte peut être une prière, un poème, un chant ou une parole tirée de la Bible.

- Fais silence dans ton cœur. Ferme les yeux. Prends conscience que l'Esprit de Jésus est avec toi pour t'aider à prier.
- Lis lentement le texte, une phrase à la fois. Réfléchis sur cette phrase, aussi longtemps que tu le veux. Passe à la phrase suivante, et ainsi de suite.
- À la fin, partage tes pensées avec Jésus; parle-lui comme à ton meilleur ami.

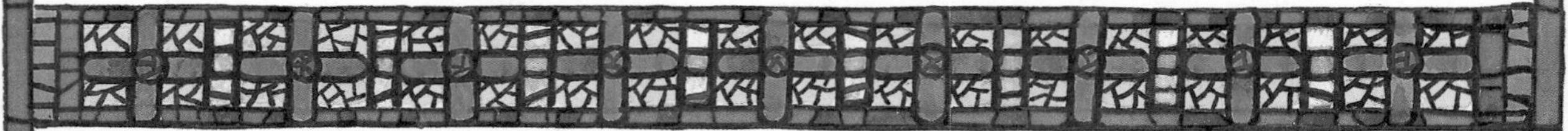

À partir d'une image

Choisis une image ou un poster portant une parole que tu aimes.

- Fais silence en toi. Ferme les yeux. Prends conscience que l'Esprit de Jésus est avec toi pour t'aider à prier.
- Ouvre les yeux, regarde l'image, lis la parole lentement une première fois, puis une seconde fois.
- Ferme à nouveau les yeux. Redis-toi lentement la parole. Fais une pause, puis recommence. Répète cet exercice autant de fois qu'il te plaira.
- À la fin, dis au Seigneur ce que tu penses et ce que tu ressens.

Pour prier le matin

Un jour nouveau t'est donné.
Chante ta joie au Seigneur !

Le matin, quand tu te lèves, tu as sommeil, tu es pressé(e) : il faut vite t'habiller, déjeuner, ne rien oublier pour l'école...

Tu n'as peut-être pas le temps de faire une longue prière. Mais tu as bien le temps de faire le signe de la croix, de parler à Dieu dans ton cœur, soit en t'habillant, soit dans l'autobus ou dans la rue.

Dieu nous donne ce jour nouveau ; c'est bien naturel de lui dire bonjour et merci !

Chaque matin, tu peux choisir une ou deux prières parmi celles de la page 14. Apprends-les par cœur ; tu pourras ainsi les dire en allant à l'école.

Pour louer Dieu et lui offrir ta journée :

† Avec le soleil qui se lève,
mon cœur te chante,
ô Seigneur!
Je t'offre ma joie de vivre
et je bénis ton nom!

† Pour toi, Seigneur,
le monde si beau!
Pour toi, Seigneur,
mon travail de ce jour!
Pour toi, Seigneur,
la joie de mon cœur!

† Dieu notre Père,
avec Jésus ton Fils
je t'offre ma journée
et tout l'amour de mon cœur
pour que ton règne vienne.
Amen.

Pour dire à Dieu ta confiance et lui demander son aide :

† Seigneur Dieu,
je te rends grâce.
Tu me donnes un cœur pour aimer,
tu me rends capable de créer
du bonheur autour de moi.
Apprends-moi à le faire
tout au long de ce jour.

† Seigneur Jésus,
aujourd'hui j'ai quelque chose
de difficile à faire...
Mais je sais que tu me donneras
du courage car tu es mon Ami
et j'ai confiance en toi.

† Esprit Saint,
souvent je rencontre des gens
qui ont besoin de moi.
Aide-moi, durant ce jour,
à les voir, à les entendre
et à les aimer de mon mieux
afin que nous soyons plus heureux
tous ensemble. Amen.

Pour prier le soir

La nuit descend...
Bénis le Seigneur!

Il y a bien des choses à faire le soir... On est si content de jouer, de lire ou de regarder la télévision le plus longtemps possible!

Pourtant, si tu désires vraiment vivre dans l'amitié de Jésus, tu voudras aussi prendre un peu de temps pour prier.

Comment prier le soir?

Cela dépend des jours: comme nos journées sont différentes, notre prière aussi est différente.

Les jours de joie, nous avons envie de chanter pour Dieu. Les jours de peine, nous préférons lui parler de nos chagrins. Il y a des jours où nous aimons lire une histoire de Jésus ou quelques-unes de ses paroles.

Mais, le plus souvent, nous faisons trois choses importantes dans notre prière du soir:

- nous remercions le Seigneur, nous lui rendons grâce;
- nous lui demandons pardon pour nos fautes de la journée;
- nous le prions avec confiance pour nous-mêmes, pour ceux et celles que nous aimons et pour toutes les personnes qui souffrent dans le monde.

Chaque soir, invente ta manière de prier.

Il y a des prières qui sont chères aux chrétiens et que nous aimons dire souvent: par exemple, le *Notre Père* et le *Je vous salue, Marie.*

† Notre Père, qui es aux Cieux,
que ton nom soit sanctifié,
que ton règne vienne,
que ta volonté soit faite
sur la terre comme au ciel.
Donne-nous aujourd'hui
notre pain de ce jour;
pardonne-nous nos offenses
comme nous pardonnons aussi
à ceux qui nous ont offensés.
Et ne nous soumets pas à la tentation,
mais délivre-nous du mal. Amen.

† Je vous salue, Marie, pleine de grâce;
le Seigneur est avec vous, vous êtes
bénie entre toutes les femmes et
Jésus, le fruit de vos entrailles,
est béni!
Sainte Marie, mère de Dieu,
priez pour nous, pécheurs,
maintenant et à l'heure de notre mort.
Amen.

Par ailleurs, nous avons besoin de varier notre prière du soir. C'est pourquoi on te présente plusieurs suggestions dans les quatre pages suivantes.

- Si tu veux rendre grâce au Seigneur, prends la page 17.
- Si tu veux lui demander pardon, prends la page 18.
- Si tu veux lui dire ta confiance et demander son aide, prends les pages 19 et 20.

Certains jours, tu voudras prier seul(e). Parfois, tu préféreras être avec quelqu'un d'autre: tes parents, un frère, une soeur, etc. Dans ce dernier cas, chacun, chacune pourrait choisir les prières à tour de rôle. Enfin, dans certaines familles, on aime parfois prier ensemble le soir; c'est une excellente habitude.

Prières pour rendre grâce

Pense à ta journée, à ce que tu as vu de beau, à ce qui t'a donné de la joie, à ce que tu as fait de bien. Raconte-le au Seigneur et dis-lui meci.

Choisis l'une de ces prières :

† **Dieu notre Père,**
c'est toi qui m'as fait vivre
tout au long de ce jour.
Je te rends grâce
et je veux t'aimer de tout mon cœur.

Seigneur Jésus, mon Ami,
tu as été avec moi pendant cette journée,
tu m'as donné le courage
de faire des choses difficiles.
Je t'aime et je te remercie.

† **Esprit Saint,**
il y a eu beaucoup de joie et d'amitié
au cours de ma journée.
C'est toi qui mets l'amour
dans nos cœurs.
Je t'aime et je te remercie.

† **Seigneur mon Dieu,**
tu fais pour moi
des choses merveilleuses :
tu me rends capable d'aimer,
de vouloir et de décider.
Je te rends grâce de tout mon cœur.

† **Nous te rendons grâce, ô notre Père,**
par ton Fils Jésus Christ,
avec l'Esprit d'amour. Amen.

Prières pour demander pardon

• Pense à ta journée. Souviens-toi que le Seigneur te demande d'aimer les autres et de développer tes talents.

• Réfléchis:
— As-tu fait exprès quelque chose qui déplaît au Seigneur?
— As-tu refusé de faire quelque chose qu'il te demandait de faire?

• Raconte tout cela au Seigneur. Demande-lui pardon et prie-le de t'aider à faire mieux demain. Choisis l'une de ces prières:

† **Seigneur Jésus,**
toi qui accueillais avec grande bonté
tous les pécheurs qui venaient à toi,
je t'en prie, pardonne-moi mes péchés
et aide-moi à être plus fidèle à ton Esprit.

† **Seigneur mon Dieu,**
prends pitié de moi
car j'ai péché contre toi.
À cause de ton amour,
pardonne-moi, purifie-moi.
Tu me feras revivre
et mon cœur sera plein de joie.

D'après le psaume 51

«Ne laissez pas le soleil se coucher sur votre colère.» *Éphésiens 4, 26*

• Il nous arrive à tous de nous mettre en colère, mais le Seigneur nous demande de faire effort pour ne pas nous endormir ainsi.

Quand on s'est vraiment mis en colère, on est souvent encore fâché le soir. Si c'est ton cas, parles-en à Jésus et dis cette prière-ci; elle t'aidera à retrouver la paix:

† **Seigneur Jésus,**
tu le sais, je me suis disputé(e)
et je suis encore fâché(e)
dans mon cœur.
Je t'en prie, donne-moi le courage
de pardonner et de me réconcilier,
comme tu me le demandes.

• Décide ensuite comment tu vas essayer de te réconcilier dans les jours suivants.

Prières pour dire à Dieu ta confiance et lui demander son aide

Souviens-toi de cette parole de Dieu:

«*Je t'aime d'un amour éternel...;*
mon amour pour toi ne s'en ira jamais»

Isaïe 54, 8-10

Souviens-toi aussi de Jésus: avec quelle bonté il accueillait tous ceux qui venaient à lui: les enfants, les pauvres, les malades, les pécheurs. Il s'intéresssait à chacun. Il les comprenait, les aidait et les encourageait.

C'est ainsi que Dieu nous aime. Voilà pourquoi Jésus nous a dit:

«*Que votre cœur ne s'inquiète pas... Ce que vous demanderez au Père en mon nom, il vous l'accordera..., car le Père vous aime.*"

Jean 14, 1; 16, 23-28

Voici ce qu'a écrit l'apôtre saint Paul:

«*En toutes circonstances, faites connaître vos besoins à Dieu par des prières accompagnées d'actions de grâces. Et votre cœur sera rempli de la paix de Dieu.*"

D'après Philippiens 4, 6-7

Nous avons tous des rêves et des projets... Il y a aussi des choses qui nous inquiètent, qui nous font peur ou nous attristent...

Il est bon de parler de tout cela au Seigneur; il nous écoute et nous comprend toujours. Il veut nous donner courage et confiance pour que nous soyons capables de réaliser nos rêves, de surmonter nos peurs et nos difficultés.

Avant de t'endormir, confie au Seigneur tes rêves et tes soucis; demande-lui son aide:

† **Seigneur mon ami,**
tu es toujours près de moi;
j'ai confiance en toi.
Je t'en prie, aide-moi parce que...

Prière pour les personnes que nous aimons

† **Seigneur, je te prie pour les personnes que j'aime...** (dis leur nom).
Bénis-les, protège-les et aide-les à trouver les chemins du vrai bonheur.

Prière pour la paix et la justice

† **Ô Dieu très bon,**
tu nous donnes la Terre pour demeure
et tu veux que tous y vivent
dans l'amitié, la paix et le bonheur.
Hélas, tu le sais, il n'en est pas ainsi.

Seigneur, nous t'en prions,
aide-nous à rendre le monde meilleur.

† **Nous te prions pour tous ceux qui souffrent: les malades, les pauvres, les affamés, les persécutés.**

Seigneur, nous t'en prions,
aide-nous à rendre le monde meilleur.

† **Nous te prions pour ceux et celles**
qui n'ont pas de travail, pas d'amis,
pas de maison,
pour les victimes de la violence
et pour toutes les personnes
qui ont besoin de notre prière.

Seigneur, nous t'en prions,
aide-nous à rendre le monde meilleur.

Selon ce qui se passe autour de toi et dans le monde, tu peux changer cette prière ou y ajouter d'autres intentions.

D'une fête à l'autre

Tout au long de l'année, l'Église nous invite à nous souvenir des grands événements de la vie de Jésus et à les célébrer par des fêtes: c'est ce qu'on appelle *l'année liturgique*. Celle-ci est comme une route de fêtes que nous parcourons ensemble chaque année dans l'amour et dans la joie.

Tu trouveras dans cette partie de ton livre (pages 22 à 52) des prières et des activités qui t'aideront à vivre les principales étapes de l'année liturgique.

Le temps de l'Avent

«Préparez le chemin du Seigneur», disait Jean le Baptiste.

L'Avent est la première étape de l'année liturgique. Il dure quatre semaines. Pendant l'Avent, nous nous préparons à célébrer Noël.

C'est excitant de voir approcher Noël! On pense aux cadeaux, au sapin, aux visites, aux vacances, aux surprises qu'on va faire!

Mais le plus important, c'est de préparer notre cœur. Pour ce faire, les gens ont des coutumes diverses à travers le monde. En voici quelques-unes que tu pourrais essayer avec ta famille au cours de l'Avent.

La couronne de l'Avent

Avec du sapin ou du houx, on tresse une couronne sur laquelle on fixe quatre bougies; celles-ci correspondent aux quatre dimanches de l'Avent.

Chaque dimanche, la famille allume une nouvelle bougie et chante ou prie ensemble pour se préparer à Noël.

L'ami secret

Puisque Noël est la fête de Jésus, ne pourrions-nous pas lui faire un cadeau? Le meilleur cadeau de fête pour Jésus, ce serait qu'il y ait plus d'amour et de joie sur la terre. C'est pourquoi, en Allemagne, on a la coutume du «Kristkindl»; ce mot veut dire «Jésus enfant».

Durant la première semaine de l'Avent, chaque membre de la famille écrit son nom sur un petit papier. On mélange les papiers et on les tire au sort. Celui ou celle dont tu tires le nom devient ton ami secret. Sans le lui dire, tu vas essayer de faire chaque jour quelque chose de gentil pour lui ou elle, comme si tu le faisais pour Jésus lui-même. Ainsi, tout cet amour et cette joie seront pour Jésus un merveilleux cadeau de fête!

La neuvaine de Noël

Dans certains pays de langue espagnole, des paroissiens habillés comme Jésus et Marie se rendent chaque soir dans une famille différente pendant les neuf jours qui précèdent Noël. La famille les reçoit, on prie et on chante ensemble pour se préparer à Noël.

Pour t'aider à prier pendant l'Avent

Voici quelques prières que tu peux dire le soir ou à table avec ta famille au cours de l'Avent :

1re SEMAINE

Écoutons la Parole de Dieu :

« Dieu a tant aimé le monde qu'il lui a donné son Fils unique afin que le monde soit sauvé par lui. »

Jean 3, 16-17

Prions le Seigneur :

† **Dieu notre Père,**
parce que tu nous aimes,
tu nous as donné ton Fils Jésus
pour nous délivrer de nos péchés
et nous conduire vers toi.
Nous te rendons grâce
et nous avons confiance en toi.
Amen.

2e SEMAINE

Écoutons la Parole de Dieu :

« Vous serez mes amis si vous vous aimez les uns les autres. Il n'y a pas de plus grand amour que de donner sa vie pour ses amis. »

D'après Jean 15, 13-17

Prions le Seigneur :

† **Seigneur Jésus,**
tu veux que tout le monde soit heureux
pour fêter ta naissance,
mais il y a autour de nous des personnes
qui sont tristes et seules.
Aide-nous à les découvrir
et à les réconforter par notre amitié
afin qu'elles puissent célébrer
ta naissance dans la joie.
Amen.

4e SEMAINE

Écoutons la Parole de Dieu:

«Je suis la lumière du monde. Celui qui me suit ne marchera pas dans les ténèbres, mais il aura la lumière de la vie.»

Jean 8, 12

Prions le Seigneur:

† **Seigneur Jésus,**
tu es notre Lumière,
tu es notre Guide
et nous croyons en toi.
Nous voulons te suivre toujours
car toi seul as les paroles
de la vie éternelle.
Amen.

3e SEMAINE

Écoutons la Parole de Dieu:

«Soyez toujours joyeux, car le Seigneur est proche. Soyez bons pour les autres, et le Seigneur vous donnera sa paix.»

Philippiens 4, 4-8

Prions le Seigneur:

† **Dieu notre Père,**
Noël approche et j'ai hâte!
Ouvre mon cœur à ta Parole
pour que je prépare avec amour
la venue de ton Fils Jésus.
Amen.

NOËL! NOËL!

«Gloire à Dieu au plus haut des cieux et paix sur la terre aux hommes qu'il aime!»
Luc 2, 14

«L'ange dit aux bergers: Je vous annonce une Bonne Nouvelle qui sera pour tout le peuple une grande joie: aujourd'hui, un Sauveur vous est né, c'est Jésus le Seigneur!»

Luc 2, 10-12

«Jésus étant né à Bethléem, voici que des Mages vinrent d'Orient pour lui rendre hommage... Arrivés là où était l'enfant, ils entrèrent et le virent avec Marie, sa mère. Tombant alors à genoux, ils se prosternèrent devant lui et lui offrirent leurs présents.

D'après Matthieu 2, 1-12

«Venez, adorons le Seigneur!»

Prière à Dieu notre Père

† **Dieu notre Père,**
nous te rendons grâce
car tu nous as montré ton amour
en nous donnant ton Fils.
Nous t'offrons avec joie ces jours de fête
que nous célébrons en l'honneur de Jésus.
Amen.

Les façons de fêter Noël sont nombreuses. La plus importante, bien sûr, est l'Eucharistie qui nous rassemble soit durant la nuit — *la Messe de Minuit* —, soit au cours de la journée.

Dans nos églises, on a pris l'habitude d'installer une crèche. On le fait également dans les maisons. Il semble que saint François d'Assise ait été le premier à donner cette idée aux chrétiens.

Partout à travers le monde, il y a de très belles coutumes à l'occasion de Noël. Dans certains pays, par exemple, les enfants vont de maison en maison en chantant des cantiques de Noël. Dans d'autres pays, la fête de *l'Épiphanie* (ou *fête des Rois*) a beaucoup d'importance: des paroissiens s'habillent en Rois Mages et conduisent à l'église les membres de leur communauté. Une autre coutume consiste à jouer, avec des personnages vivants, les principales scènes de la Nativité. Tout cela a pour but de mieux célébrer la venue de Jésus sur notre terre.

Prière à la Vierge Marie

† **Vierge Marie,**
je pense à ta joie
quand tu as vu Jésus
pour la première fois!
Aujourd'hui, je suis, moi aussi,
dans la joie,
car j'ai la chance de le connaître.
Apprends-moi à aimer ton Fils
et à le suivre fidèlement,
comme toi-même as su le faire
tout au long de ta vie. Amen.

Pour prier durant le temps de Noël

Méditation sur la Nativité

Dans son récit des événements entourant la naissance de Jésus, saint Luc dit ceci de la Vierge Marie: *«Elle gardait avec soin tous ces souvenirs et les méditait dans son coeur»* (Luc 2, 19).

Peut-être aimerais-tu faire comme Marie? Prends alors quelques minutes tranquilles après tout le va-et-vient de Noël. Assieds-toi près de la crèche s'il y en a une chez toi, ou bien va à la page 26 de ton livre.

Tout en regardant la scène, fais peu à peu silence en toi. Puis, ferme les yeux et imagine que tu vis le premier Noël! Tu es un berger, ou bien une jeune fille de la caravane des Mages. Tu vois ce qui se passe..., tu entends ce qu'on dit..., tu prends part à l'action. Te voilà maintenant à la grotte. Que fais-tu? Que ressens-tu?

Tu entres. Tu parles à Marie et à Joseph... Tu écoutes ce qu'ils ont à te dire... Puis tu admires longuement l'Enfant Jésus... À la fin, tu te dis: «Jésus, ce petit bébé, a grandi, il a accompli sa mission et il a donné sa vie pour nous. Il est maintenant ressuscité d'entre les morts. Il est mon Seigneur, mon Sauveur, mon Ami. Il reste avec moi, par son Esprit, tous les jours de ma vie». Parle alors à Jésus comme tu le veux.

Méditation sur le nom de Jésus

Pour nous, chrétiens, le nom de JÉSUS est très précieux. Aussi aimons-nous prier parfois de la façon suivante:

- On ferme les yeux, on se calme en respirant lentement et profondément.
- Puis on répète doucement et avec amour le nom de Jésus avec chaque inspiration. On continue ainsi aussi longtemps qu'on veut.
- Parfois, on ajoute une invocation comme l'une des suivantes:

Jésus, aie pitié de moi.
Jésus, je t'aime.
Jésus, j'ai confiance en toi.
Jésus, tu es mon Ami.

Cette forme de prière procure la paix, le courage et la joie. Pourquoi ne l'essaierais-tu pas de temps à autre?

Bonne et Heureuse Année!

Au Jour de l'An, nous ressentons particulièrement le besoin de vivre ensemble dans l'amitié et la paix, comme Dieu nous y appelle. Aussi le 1er janvier a été déclaré «Journée mondiale de prière pour la paix». À cette occasion, tu pourrais inviter tes amis, ta famille à prier quelques instants avec toi.

Célébration pour l'année nouvelle

- Rendons grâce

† **Ô Dieu très bon,**
en commençant cette année nouvelle,
nous voulons te rendre grâce
pour les moments précieux
que nous avons connus en 19—.

Chacun(e) évoque un souvenir et tous répondent:

Nous te remercions, ô Dieu très bon.

- Exprimons notre espérance

Maintenant, nous allons partager nos rêves et nos espoirs face à l'année qui vient. Ainsi, nous pourrons nous entraider à les réaliser.

Quand ceux et celles qui le désirent se sont exprimés, on continue:

Prions le Seigneur:

† **Seigneur notre Dieu,**
au seuil de cette année nouvelle,
nous mettons en toi notre confiance.
Tu seras avec nous
dans nos joies et nos peines,
tu nous affermiras dans l'espérance.
Nous te demandons la paix
pour le monde,
l'amour et la joie pour notre foyer. Amen.

- Bénédiction

Que le Dieu tout-puissant nous bénisse,
le Père, le Fils et le Saint-Esprit. Amen.

Les membres de la famille peuvent échanger leurs souhaits et terminer par un chant.

Si tu préfères prier seul(e), médite près de la crèche sur l'année qui vient de se terminer et sur celle qui commence: partage tes souvenirs et tes espoirs avec Jésus, Marie et Joseph.

Le Carême

Pendant le Carême, avec toute l'Église, nous nous préparons à célébrer la plus grande fête de l'année: la fête de Pâques.

Un temps pour se rapprocher de Dieu

Quand on aime quelqu'un, on désire être le plus près possible de cette personne. Avec Dieu, il devrait en être ainsi. Mais, souvent, nous nous laissons distraire par mille choses, nous oublions Dieu, nous pensons moins à le prier.

C'est pourquoi de grands amis de Dieu — les prophètes et les saints — s'en allaient de temps à autre dans des endroits tranquilles pour réfléchir à leur vie et s'unir à Dieu davantage.

Jésus lui-même a éprouvé ce besoin. Un jour, *«il fut conduit par l'Esprit au désert»* (Marc 1, 12). Il resta là quarante jours à prier, à jeûner, à penser à sa mission et aux problèmes qui l'attendaient. Parfois, il fut tenté de se décourager et de tout abandonner; mais, à cause de son union profonde au Père, il trouva le courage d'affronter ses difficultés et de remplir sa mission.

Assurément, nous ne sommes pas tous appelés à aller au désert, comme Jésus. Cependant nous sommes tous invités, pendant le Carême, à nous rapprocher de Dieu. Nous pouvons le faire en nous gardant plus de temps pour prier, pour méditer la Parole de Dieu et lire des livres religieux.

Plus nous nous unirons à Dieu, plus nous découvrirons son amour et sa beauté autour de nous: dans les merveilles de la nature, dans la gentillesse des gens, dans notre propre vie. Alors, comme le dit l'Écriture, nous pourrons marcher en présence de Dieu dans la joie et la confiance.

Ce que tu peux faire toi-même :

- donner un peu plus de place à Jésus durant la journée, lui parler plus souvent, lui confier tes joies, tes inquiétudes..., ou simplement lui dire que tu l'aimes ;
- de temps à autre, prendre conscience que Dieu est avec toi, te réjouir de son amour et lui rendre grâce ;
- accorder une attention spéciale à ta prière du soir ;
- méditer des récits de l'Évangile ;
- te procurer la vie d'un saint ou d'une sainte et en parcourir quelques pages chaque jour ;
- repasser tes leçons de catéchèse afin de mieux les comprendre et t'en souvenir.

Ce que tu peux faire avec ta famille :

- réaliser un poster spécial sur le Carême, le placer à un endroit bien en vue, où chacun pourra l'apercevoir et se rappeler l'appel du Seigneur au long du Carême ;
- choisir un moment spécial, chaque semaine, pour lire et discuter un passage de l'Évangile ;
- planter des graines ou des bulbes et observer leur croissance, en pensant à la vie nouvelle que Jésus nous apporte ;
- organiser une rencontre familiale pour discuter comment rendre la vie plus agréable à tous.

« Marche en ma présence », dit le Seigneur.

Un temps pour se convertir et se renouveler

Dans tous les domaines de notre vie, nous avons besoin de progresser sans cesse si nous voulons nous épanouir pleinement et atteindre nos objectifs.

Florence et Jérôme aiment le sport. Ils ont seulement 11 ans, mais ils rêvent de participer un jour aux Jeux Olympiques. Tous deux appartiennent à un club où ils s'entraînent régulièrement.

Florence est gymnaste et Jérôme nageur. À la fin du premier semestre, ils vont avoir une semaine de rencontres avec leurs entraîneurs. Le but de ces rencontres est de faire le point sur le travail accompli et de préparer le prochain semestre. L'une des activités au programme sera d'observer, à l'aide de vidéocassettes, leurs propres performances et de les comparer à celles de champions olympiques. Suivront alors des discussions entre les entraîneurs et les jeunes athlètes.

Au terme de cette semaine,

- Florence et Jérôme verront mieux leurs points forts et leurs points faibles.
- Ils sauront plus clairement comment s'y prendre pour surmonter leurs difficultés et développer au maximum leurs habiletés.
- Ils feront provision d'enthousiasme et de détermination pour atteindre leurs objectifs, pour devenir ce qu'ils veulent être.

Cette période d'évaluation dans la vie sportive de Florence et Jérôme nous aide un peu à comprendre ce que le Carême devrait être dans notre vie chrétienne.

Si tu veux, au cours du Carême, progresser dans ta vie chrétienne, réserve-toi des moments tranquilles pour réfléchir et prier en te servant de cette page. Tu aimerais peut-être demander à tes parents de t'aider à le faire.

«Je vous donnerai un cœur nouveau. Je mettrai en vous mon esprit.»

Ezéchiel, 36, 26

Quelques pistes de réflexion

Comme d'habitude, fais silence en toi. Puis, imagine que tu es avec Jésus. Tu marches avec lui le long du lac, comme il l'a souvent fait avec ses disciples. Tu lui confies tes pensées, au fur et à mesure que tu parcours ces questions-ci. Tu sais qu'il est vraiment avec toi.

- «*Seigneur Jésus, aide-moi à mieux me connaître et à mieux entendre ton appel.*»

- Quels sont mes talents et mes qualités? Comment les développer le plus possible? Comment en faire profiter les autres davantage?
- Quels progrès dois-je réaliser pour devenir une personne plus épanouie, plus heureuse?
- Y a-t-il près de moi quelqu'un qui a spécialement besoin d'aide ou d'affection? Que vais-je faire à ce sujet?

- «*Seigneur Jésus, donne-moi le courage de surmonter mes difficultés et de m'améliorer.*»

- Quel est mon plus gros défaut, mon principal point faible? Quels problèmes en résultent pour moi-même et pour les autres? Que faire pour lutter contre ce défaut? Qui pourrait m'aider?
- Y a-t-il quelqu'un avec qui je dois me réconcilier? Quels gestes vais-je poser envers cette personne?
- Ai-je une mauvaise habitude dont je désire me corriger? Comment vais-je m'y prendre?
- Y a-t-il des gens qui ont une mauvaise influence sur moi? Que vais-je faire? Qui peut m'aider?
- M'arrive-t-il d'entraîner les autres au mal? Que vais-je faire?

Au cours du Carême, l'Église nous invite à célébrer *le sacrement de la Réconciliation*. La réflexion que tu viens de faire serait une excellente préparation à ce sacrement.

Un temps pour partager

«Laissez-vous conduire par l'Esprit...
Par la charité, mettez-vous au service les uns des autres.» D'après Galates 5

Pendant le Carême, la communauté chrétienne, au nom du Seigneur, nous demande de faire un effort très spécial pour partager ce que nous avons avec ceux et celles qui ont moins que nous.

Il y a plusieurs façons de partager...

Autour de nous, des gens sont malades, tristes ou seuls. Nous pouvons les visiter et les réconforter en partageant avec eux notre temps, notre affection et notre joie.

D'autres ont besoin d'aide et d'encouragement pour réussir en classe, dans les sports ou pour se trouver des amis. Qui sait tout ce qu'un geste d'amitié de notre part peut leur apporter?

Nous ne pouvons pas non plus oublier les millions d'adultes et d'enfants qui ont faim, qui n'ont pas de maison, pas de soins médicaux, qui sont dans la misère la plus totale. C'est pourquoi, au cours du Carême, les chrétiens organisent des campagnes spéciales pour les secourir.

Tu voudras sans doute participer à l'une de ces campagnes avec ta famille. Voici une façon de le faire:

PROJET-PARTAGE

Fabrique une tirelire et demande à chaque membre de la famille d'y mettre à l'occasion un peu d'argent en se privant d'une friandise ou de quelque chose de superflu, par exemple un illustré, un paquet de cigarettes. (Des familles voisines pourraient être invitées à se joindre au projet.)

À la fin du Carême, vous iriez porter l'argent à une organisation qui s'occupe des pauvres ou des réfugiés.

«Il y a plus de joie à donner qu'à recevoir.»

Actes 20, 35

- Réfléchis sur ton expérience:

Une fois ou l'autre durant ton projet-partage, essaie d'approfondir sa signification. Voici quelques suggestions pour t'aider:

- Fais silence en toi-même. Ouvre ton cœur à l'Esprit de Jésus qui est avec toi.

- Lis lentement ces paroles de Jésus:

«J'ai eu faim, et vous m'avez donné à manger. J'ai eu soif, et vous m'avez donné à boire. J'étais seul, et vous m'avez visité. Chaque fois que vous avez fait cela pour quelqu'un, c'est à moi que vous l'avez fait.»

Matthieu 25, 35-40

- Pense aux gens que tu vas aider par ton projet. Imagine Jésus au milieu d'eux: Jésus affamé et souffrant comme eux!

Regarde-le. Entends-le te dire: «X..., merci de me secourir.»

Entends aussi les autres gens qui te remercient.

- Lis de nouveau les paroles de l'Évangile: *«J'ai eu faim, et vous...»* Puis parle à Jésus comme tu le désires.

- De temps à autre durant le Carême, tu pourrais dire cette prière-ci:

† **Dieu notre Père,**
tu nous donnes la terre pour demeure
et tu veux que ses richesses
servent au bonheur de tous tes enfants.
Apprends-nous à partager nos talents,
notre affection et nos biens avec ceux
et celles qui ont moins que nous.
Nous te le demandons par ton Fils,
Jésus, notre Seigneur. Amen.

La Semaine sainte

La semaine qui précède Pâques s'appelle la *Semaine sainte*. Durant celle-ci, nous évoquons les dernières journées que Jésus a passées sur la terre et nous les célébrons ensemble à l'église.

Le dimanche des Rameaux, nous rappelons l'entrée triomphale de Jésus à Jérusalem.

Le Jeudi saint, nous revivons dans l'Eucharistie le dernier repas de Jésus avec ses amis.

Le Vendredi saint, nous nous souvenons de la mort de Jésus sur la croix.

Le jour de Pâques, nous proclamons dans la joie la glorieuse résurrection du Seigneur Jésus.

Chaque année, durant la Semaine sainte, des milliers de personnes se rendent en pèlerinage au pays de Jésus. Certaines ont dû économiser leur argent pendant de longues années afin de pouvoir vivre en Terre sainte ces grandes journées de prière. Elles espèrent ainsi s'unir davantage à Jésus et trouver le courage de le suivre avec plus d'amour.

La visite la plus émouvante est, sans aucun doute, celle de Jérusalem. Car c'est dans cette ville que le Fils de Dieu a été mis à mort. C'est pourquoi plusieurs de ces pèlerins font, à pied, un chemin de croix dans les rues mêmes où Jésus est passé en allant au Calvaire.

Comment vivre une belle Semaine sainte :

- Si tu participes aux célébrations, tu pourrais, avant de te rendre à l'église, parcourir dans ton livre les pages qui présentent chaque Jour saint.
- Si tu ne peux aller à l'église, essaie de prendre un peu de temps chez toi pour lire ces pages et pour prier.

Le dimanche des Rameaux

Aujourd'hui, nous rappelons une belle fête que les habitants de Jérusalem ont faite pour Jésus avant sa mort.

«Jésus avait ramené à la vie son ami Lazare. Les gens avaient été émerveillés. Peu après, quand Jésus vint à Jérusalem, ils l'accueillirent en triomphe. Ils étendaient leurs manteaux sur son chemin, portaient des rameaux de palmiers et ils criaient: «Béni soit celui qui vient au nom du Seigneur! Hosanna au plus haut des cieux!»

Marc 11, 1-10

À l'église, nous faisons une procession en l'honneur de Jésus. Nous chantons la même acclamation en tenant dans nos mains des rameaux bénits. Nous rapportons à la maison ces rameaux qui nous feront penser à Jésus tout au long de l'année.

Durant la messe qui suit la procession, nous écoutons avec respect le récit de la Passion. Dans ce récit, que nous allons méditer tout au long de la Semaine sainte, nous découvrons jusqu'à quel point Jésus nous a aimés et avec quel courage il a donné sa vie pour nous.

Voici une prière que tu peux dire chez toi, le soir du dimanche des Rameaux:

† **Seigneur Jésus Christ,**
tu es notre Roi et notre Sauveur.
C'est pour toi que nous avons chanté
ces louanges et porté ces rameaux.
Bénis les maisons où ils seront déposés.
Délivre-nous de tout mal
et protège-nous à cause de ton amour.
Amen.

Le Jeudi saint

En ce jour, nous nous souvenons du dernier repas de Jésus.

Le soir avant sa mort, Jésus voulut partager un dernier repas avec ses amis.

Avant de commencer le repas, il fit quelque chose qui étonna les disciples (c'était habituellement la tâche des serviteurs):

Il enleva son manteau, prit un linge et l'attacha à sa taille. Puis il versa de l'eau dans un bassin et se mit à laver les pieds de ses disciples et à les essuyer avec le linge.

Quand il eut terminé, Jésus dit à ses disciples:

«Je vous ai donné l'exemple pour que vous agissiez comme j'ai agi envers vous».

Jean 13, 15

Prenant place à table, Jésus accomplit de nouveau quelque chose de spécial que ses amis comprirent seulement plus tard:

Il prit du pain. Il rendit grâce au Père et le leur donna en disant: *«Prenez et mangez-en tous. Ceci est mon corps livré pour vous... Faites ceci en mémoire de moi.»*

Prenant ensuite une coupe de vin, il rendit grâce et la leur donna en disant: *«Buvez-en tous, car ceci est mon sang... qui va être répandu pour vous.»*

Matthieu 26, 26-29

Dans la liturgie, nous rappelons ces deux événements:

- Dans certaines églises, le prêtre lave les pieds de quelques fidèles, en souvenir du geste de Jésus envers ses disciples.
- Nous célébrons ensuite l'Eucharistie au cours de laquelle nous communions à Jésus, notre Pain de vie.

Pour te préparer à la célébration

ESSAIE DE REVIVRE LE RÉCIT DE L'ÉVANGILE:

- Imagine que tu es parmi les disciples. Tu vois Jésus se lever de table et laver les pieds de ses amis. Il vient vers toi... Que ressens-tu? Est-ce possible que le Fils de Dieu fasse cela pour toi?
- Au cours du repas, Jésus prend le pain. Tous sont silencieux. Tu regardes Jésus, tu ressens tout l'amour qu'il y a dans ses yeux, dans sa voix... Tu écoutes ses paroles... Voici maintenant qu'il te regarde...
- Tu le vois rompre le pain et le distribuer. Il t'en donne à toi, puis il t'offre la coupe.
- Rappelle-toi ceci: chaque fois que nous partageons le Pain de vie, nous sommes aussi unis à Jésus que l'étaient ses disciples.
- Pour finir, parle à Jésus dans ton cœur comme tu le désires.

MÉDITE CES PAROLES DE JÉSUS:

Lis chaque phrase lentement et avec ton coeur:

«Je suis le pain vivant descendu du ciel. Celui qui mange ce pain aura la vie éternelle et je le ressusciterai au dernier jour. Celui qui mange ce pain sera uni à moi, comme je suis, moi, uni à mon Père.»

Jean 6, 51 et 58

«Vous êtes mes amis si vous faites ce que je vous commande. Voici mon commandement: Aimez-vous les uns les autres, comme je vous ai aimés. Il n'y a pas de plus grand amour que de donner sa vie pour ses amis.»

Jean 15, 12-15

Le Vendredi saint

En ce jour, nous nous rappelons que Jésus a donné sa vie pour nous.

Après avoir soupé avec ses amis, Jésus leur demanda de venir avec lui au Jardin des Oliviers pour prier. Mais eux s'endormirent.

Jésus était seul et triste. Pourtant il pria son Père de lui donner du courage.

Peu de temps après, Judas, qui avait trahi son Maître, arriva avec un groupe de soldats; ils arrêtèrent Jésus.

Pendant toute la nuit, on se moqua de Jésus, on le fit souffrir et, finalement, on le condamna à mort. Pierre, son ami, alla jusqu'à le renier.

Jésus porta sa lourde croix jusqu'au Calvaire. Là, on le cloua sur la croix, entre deux voleurs.

Jésus souffrait terriblement mais il eut le courage de prier: il demanda à son Père de pardonner à ceux qui l'avaient crucifié. Il confia sa maman, Marie, à l'apôtre Jean pour qu'il s'occupe d'elle.

Puis, dans un grand cri, il dit: *«Père, je remets ma vie entre tes mains.»* Et il expira.

En donnant ainsi sa vie avec amour, Jésus nous a sauvés, il nous a délivrés du mal et nous a ouvert le chemin de la vie éternelle.

Dans la liturgie à l'église:

- nous écoutons le récit de la Passion,
- nous prions pour tous les gens de la terre,
- nous vénérons la croix de Jésus,
- nous partageons le Pain de vie.

Pour te préparer à la célébration:

1. Regarde bien ces images-ci. Si tu as un crucifix, mets-le devant toi, puis relis lentement la page 42.

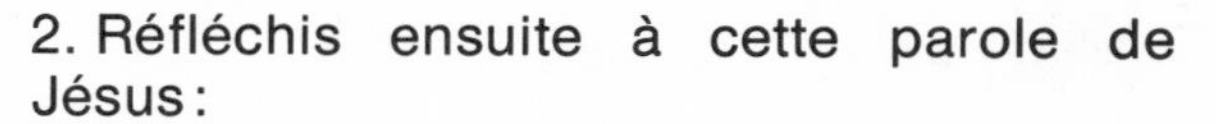

2. Réfléchis ensuite à cette parole de Jésus:

«Si quelqu'un veut venir avec moi, qu'il se renonce lui-même, qu'il prenne sa croix et qu'il me suive.»

D'après Luc 9, 23

SE RENONCER,

- *c'est faire les efforts nécessaires pour grandir et progresser;*
- *c'est sacrifier quelque chose qui nous ferait plaisir, pour la joie et le plaisir des autres.*

Quand nous nous renonçons pour aimer les autres, nous faisons comme Jésus, nous donnons notre vie.

3. Parle à Jésus dans ton cœur, puis dis l'une des prières suivantes:

† **Seigneur Jésus,**
tu as donné ta vie pour nous sauver.
Je t'aime et je te remercie
de nous avoir tant aimés.

† **Seigneur Jésus,**
tu as eu le courage de pardonner
à ceux qui t'ont crucifié.
Donne-moi le courage de pardonner
aussi à ceux qui me font du mal.

† **Seigneur Jésus,**
tu nous demandes de renoncer
parfois à notre plaisir
pour aider les autres
et leur donner de la joie.
Aide-moi à le faire avec amour
comme tu l'as fait pour nous.

PÂQUES!

NOUS CÉLÉBRONS AUJOURD'HUI LA GLORIEUSE RÉSURRECTION DU SEIGNEUR JÉSUS!

Le premier jour de la semaine, à l'aube, des femmes se rendirent au tombeau... Elles trouvèrent la pierre roulée devant le tombeau, mais elles ne virent pas le corps du Seigneur Jésus. Elles ne savaient que penser...

Soudain, deux hommes leur apparurent en vêtements éblouissants; ils leur dirent:

«Pourquoi cherchez-vous parmi les morts celui qui est vivant? Il n'est pas ici; il est ressuscité comme il l'avait dit!»

D'après Luc 24, 1-7

Pendant les jours suivants, Jésus apparut à Pierre, à Jean, à Marie-Madeleine et à beaucoup d'autres personnes. Tous étaient stupéfaits et émerveillés; ils avaient été bien découragés après la mort de Jésus, mais maintenant leur cœur était plein de joie et ils se disaient:

«Oui, c'est bien vrai, le Seigneur est ressuscité!»

Luc 24, 34

« Voici le jour que fit le Seigneur, jour d'allégresse et de joie, alléluia ! »

À l'église, nous fêtons la résurrection de Jésus au cours d'une célébration très solennelle qui se fait la nuit et qu'on appelle la *Vigile pascale*. Cette page et la suivante décrivent brièvement ce qui s'y passe. Lis-les attentivement, elles t'aideront à te préparer pour cette célébration ou pour la messe du jour de Pâques.

1. LITURGIE DE LA LUMIÈRE

- Un feu est préparé en dehors de l'église ou à l'entrée. Le prêtre l'allume et le bénit. On apporte le cierge pascal et on l'allume avec le feu nouveau.

- On entre en procession dans l'église. Aucune lumière n'y brille, sauf celle du cierge pascal qui symbolise le Christ ressuscité.

Par trois fois, le prêtre s'arrête, élève le cierge et chante :

Lumière du Christ !

L'assemblée répond :

Nous rendons grâce à Dieu !

Nous allumons ensuite chacun un petit cierge au cierge pascal pour montrer que nous partageons tous la vie nouvelle du Ressuscité.

- Alors, dans une très belle prière qu'on appelle en latin l'*Exultet*, le prêtre annonce la merveilleuse nouvelle de la résurrection du Seigneur:

Ô nuit de vrai bonheur,
où le ciel s'unit à la terre,
où l'humanité rencontre Dieu !

2. LITURGIE DE LA PAROLE

Dans cette seconde partie, nous écoutons plusieurs lectures tirées de la Bible. Ces lectures nous rappellent notre *Grande Histoire*, celle de l'amour de Dieu pour nous. Elles commencent par le poème de la création et se terminent avec l'évangile de la résurrection.

3. LITURGIE BAPTISMALE

- Le prêtre bénit l'eau qui servira lors de la célébration du baptême. Souvent, à ce moment-ci, on baptise des adultes ou des enfants.

- Nous rallumons ensuite nos cierges pour renouveler les promesses de notre baptême. Le prêtre nous demande de renoncer au péché et d'affirmer notre foi :

Prêtre : **Pour vivre dans la liberté des enfants de Dieu, rejetez-vous le péché ?**

Tous : **Oui, je le rejette.**

Prêtre : **Croyez-vous en Dieu le Père tout-puissant, créateur du ciel et de la terre ?**

Tous : **Nous croyons.**

4. LITURGIE EUCHARISTIQUE

Cette dernière partie de la Vigile pascale est la continuation de la messe. Nous rendons grâce au Père pour la mort et la résurrection de Jésus et nous partageons ensemble dans la joie le Pain de vie : Oui, c'est vraiment le Seigneur ressuscité qui vient à nous sous le signe du pain !

« Le Christ, notre espérance, est ressuscité ! Alléluia ! »

Pour les fidèles qui ne peuvent participer à la Vigile pascale et aussi pour tous ceux et celles qui le désirent, on célèbre l'Eucharistie également le jour de Pâques. Les cloches des églises sonnent à toute volée et disent, à leur manière, la joie immense de la Résurrection.

UNE EXPÉRIENCE UNIQUE :

Il y a des gens qui aiment regarder le soleil se lever au matin de Pâques. C'est une expérience très impressionnante, car le soleil, qui triomphe de la nuit, nous fait penser au Seigneur ressuscité, lui qui chasse les ténèbres de nos cœurs et illumine notre vie, jour après jour.

Si jamais tu vis cette expérience, elle restera sûrement pour toi un merveilleux souvenir.

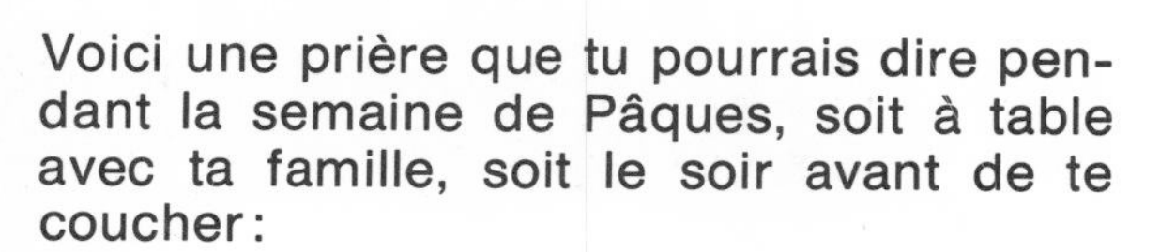

Voici une prière que tu pourrais dire pendant la semaine de Pâques, soit à table avec ta famille, soit le soir avant de te coucher :

† **Dieu notre Père,**
par la résurrection de ton Fils bien-aimé,
tu as répandu la joie
sur la terre tout entière.
Remplis nos cœurs de cette joie
et apprends-nous à la partager
avec ceux et celles
qui ne connaissent pas la Bonne Nouvelle.
Nous te le demandons par Jésus,
notre Seigneur.
Amen.

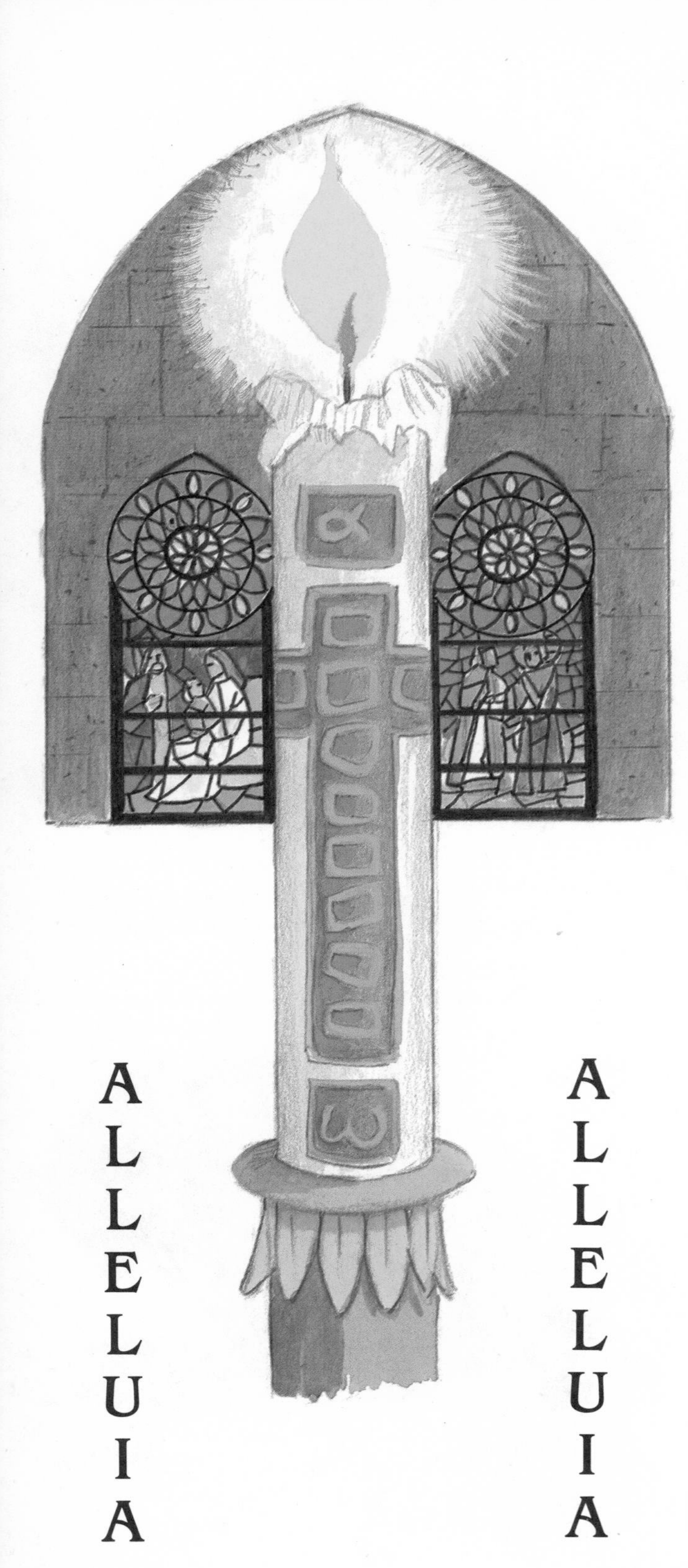

Le temps pascal

Pendant le temps pascal, qui dure 50 jours, nous continuons à vivre dans la joie de Pâques et nous célébrons deux grandes fêtes : *l'Ascension* et *la Pentecôte*.

Pour t'aider à prier pendant le temps pascal, tu peux te servir de cette page-ci et des deux suivantes.

Prière à Jésus ressuscité

† **À toi, louange et gloire, Seigneur Jésus !**

Par le mystère de ta résurrection,
tu mets en mon cœur
une grande espérance :
un jour, moi aussi,
je triompherai de la mort
et j'irai vivre pour toujours
auprès de Dieu.

À toi, louange et gloire, Seigneur Jésus !

Comme tu fis pour Madeleine
au clair matin de Pâques,
tu m'appelles par mon nom.
Tu m'offres ton amitié
et tu restes avec moi
sur les chemins de la vie.

À toi, louange et gloire, Seigneur Jésus !

Prière à la Vierge Marie

† **Sainte Vierge Marie,**
nous nous réjouissons avec toi,
en ce temps de Pâques,
pour la grande merveille
de la résurrection de Jésus.
Maintenant que tu es au ciel avec lui,
souviens-toi de nous
qui sommes tes enfants.
Prie pour nous le Seigneur
afin que nous puissions, comme toi,
grandir dans la foi, l'espérance
et l'amour. Amen.

La fête de l'Ascension

Quarante jours après Pâques, Jésus dit adieu à ses amis. Il leur demanda d'aller annoncer la Bonne Nouvelle de sa résurrection à tous les gens de la terre. Puis il retourna au ciel, auprès de son Père, d'où il reviendra à la fin du monde afin de transformer l'univers.

On célèbre l'Ascension du Seigneur quelques semaines après Pâques. Pour te préparer à cette fête, voici ce que tu peux faire :

- Souviens-toi de la Parole de Dieu :

« Je vais vous préparer une place dans la maison de mon Père, afin que là où je suis, vous soyez, vous aussi, avec moi. »

Jean 14, 3-4

- Prie Dieu notre Père :

† **Dieu notre Père,**
tu fais de nous tes enfants
et tu veux rassembler dans ta Maison
tous les gens de la terre.
Envoie des messagers
dans le monde entier
pour y faire connaître la Bonne Nouvelle.
Nous te le demandons
par Jésus, ton Fils,
notre Seigneur.
Amen.

- Prie le Seigneur Jésus :

† **Seigneur Jésus,**
tu es ressuscité
et tu es toujours avec nous.
Tu es notre guide et notre lumière.
Conduis-nous sur le chemin de ta Maison
afin que nous vivions avec toi
pour toujours. Amen.

La fête de la Pentecôte

Avant de retourner vers son Père, Jésus avait promis à ses amis de leur envoyer le Saint-Esprit; c'est ce qu'il fit le jour de la Pentecôte.

À nous aussi le Saint-Esprit est donné et, d'une façon spéciale, quand nous célébrons les sacrements de baptême et de confirmation.

Tu peux te servir des prières suivantes pour te préparer à la fête de la Pentecôte et aussi pour invoquer le Saint-Esprit tout au long de l'année.

† **Esprit Saint,**
c'est toi qui nous unis au Père et à Jésus.
C'est toi qui mets l'amour
dans nos cœurs.
C'est toi qui nous aides
à comprendre la Parole de Dieu
et qui nous apprends à prier.
C'est toi qui nous donnes la paix
et la joie de Jésus.
Je t'aime et je te remercie.
Gloire à toi, Esprit de Dieu,
maintenant et toujours. Amen.

† **Viens, Esprit Saint,**
allume en nous le feu de ton amour.
Viens transformer le cœur
de tous les gens de la terre
pour qu'ils bâtissent un monde meilleur.
Amen.

† **Viens, Esprit de Jésus,**
aide-moi à goûter ce qui est bien.
Fais-moi découvrir
la joie d'aimer les autres.
Apprends-moi à prier le Père. Amen.

Avec la fête de la Pentecôte se termine le *temps pascal*; les dimanches qui suivent font partie du *temps ordinaire;* celui-ci dure jusqu'à l'Avent.

La fête de la Sainte Trinité

Le premier dimanche après la Pentecôte, nous célébrons la fête de la Sainte Trinité. Pour t'y préparer, lis attentivement ce qui suit.

On est à la Cène. Jésus parle longuement à ses amis de son Père et de l'Esprit. Philippe, un des disciples, a dans son cœur un grand désir de mieux connaître Dieu. Il demande à Jésus: *«Seigneur, montre-nous le Père.»*

Jésus est surpris: *«Philippe, voilà si longtemps que je suis avec vous, et tu ne me connais pas? Si tu me connaissais vraiment, tu connaîtrais aussi mon Père. Qui m'a vu a vu le Père".*

Jean 14, 7-10

Ces paroles nous sont rapportées par l'apôtre saint Jean. Il les a écrites plusieurs années après le départ de Jésus.

Jean a eu le temps de réfléchir. Il s'est souvenu de ce que Jésus a fait, de sa grande bonté pour tous. Alors, Jean a compris que dans les paroles et les gestes de Jésus, c'était Dieu lui-même qui nous montrait en quelque sorte son Visage.

C'est pourquoi, en pensant au Père, à son Fils et à l'Esprit qui les unit, Jean écrira ceci un jour: «***Dieu est Amour!***» C'est le plus beau nom qu'on ait trouvé pour Dieu.

Au cours des siècles, les chrétiens ont continué à méditer le mystère de Dieu. Ils ont inventé un autre nom pour exprimer ce merveilleux secret de la vie de Dieu. Ce nom, c'est *la Sainte Trinité*. Par là, on voulait dire que les trois personnes divines, le Père, le Fils et le Saint-Esprit, ne font qu'un dans l'amour. C'est ce grand mystère que nous célébrons ce dimanche-ci.

Quand tu voudras adorer et louer la Sainte Trinité, tu pourras te servir des prières suivantes:

† **Gloire au Père, au Fils et au Saint-Esprit.**
Comme il était au commencement,
maintenant et toujours,
pour les siècles des siècles. Amen.

† **Rendons gloire au Père tout-puissant,**
à son Fils Jésus Christ le Seigneur,
à l'Esprit qui habite en nos cœurs.
Amen. Alléluia!

† **Nous t'adorons, ô Sainte Trinité.**
À toi louange et gloire éternellement!

Pour mieux vivre l'Eucharistie

Un jour pas comme les autres

Le dimanche, il n'y a pas d'école. On se lève plus tard, on prend son temps pour déjeuner. On reçoit ou visite des amis. On va se promener, faire du sport... Enfin, on s'amuse! Il y a des programmes spéciaux à la télé. Parfois, les repas nous réservent des surprises... Le dimanche, c'est formidable!

Le Jour du Seigneur

Mais le dimanche, c'est avant tout le Jour du Seigneur, comme disaient les premiers chrétiens. Autrement dit, le dimanche est pour nous comme l'anniversaire de Pâques. Tous sont invités à se reposer, à se réjouir et à célébrer l'Eucharistie en l'honneur de Jésus ressuscité.

Venez, chantons de joie! Psaume 95

As-tu déjà pensé à ceci: à travers ta communauté, c'est le Seigneur lui-même qui t'invite à venir célébrer ta joie et à partager le Pain de vie!

N'est-ce pas un privilège d'être invités par le Seigneur lui-même? Qui voudrait refuser ou oublier une telle invitation? Si tu n'étais pas là, quelqu'un manquerait à la fête!

«Habillons notre cœur!»

Cette rencontre avec Jésus dans la communauté chrétienne est si importante qu'il faut la préparer. Tu connais l'histoire du Petit Prince et de son ami le renard: avant de rencontrer quelqu'un qu'on aime, il faut «habiller son cœur», dit le renard.

Si tu veux «habiller ton cœur» pour ta rencontre avec Jésus, tu pourrais, avant la messe ou le samedi soir, te servir de cette partie-ci de ton livre (pages 52 à 62). Choisis, chaque semaine, une ou deux pages qui t'intéressent. Prends quelques minutes pour les lire et y réfléchir. Ainsi, tu apprendras peu à peu à mieux comprendre la messe et tu en profiteras davantage.

Partageons notre joie

Le dimanche, c'est pour tout le monde! Les enfants ont bien besoin de ce jour de congé. Les parents aussi, pour se détendre et se reposer. Donnons tous un coup de main à la maison et chacun goûtera la joie du dimanche.

Par ailleurs, il y a peut-être autour de nous des personnes seules qui espèrent secrètement une visite, une invitation ou seulement un appel téléphonique pour ensoleiller leur journée...

Pour mieux écouter la Parole de Dieu

Toutes les familles ont leur histoire. Les parents la racontent aux enfants, et les enfants la raconteront à leur tour... On aime toujours réentendre cette histoire. Elle nous unit, elle nous rend fiers de notre famille.

La famille des chrétiens a aussi son histoire: c'est *la Grande Histoire de l'amour de Dieu pour tous les gens de la terre.* Elle est racontée dans la Bible. Nous l'appelons la Parole de Dieu, car c'est vraiment Dieu qui nous parle dans notre Histoire. Celle-ci commence avec la création du monde. Jésus en est la personne la plus importante.

La Parole de Dieu est pour nous source de lumière et d'espérance. Elle nous aide à répondre à ces importantes questions:

- Pourquoi sommes-nous sur la terre?
- Qu'est-ce qu'une vie pleine et belle?
- Comment trouver le chemin du vrai bonheur?

Voilà pourquoi, chaque dimanche, nous sommes invités à écouter et à méditer la Parole de Dieu.

« Ta Parole est une lampe pour mes pas. »

Psaume 118

Voici ce que tu pourrais faire pour profiter davantage de la liturgie de la Parole à la messe :

MÉDITE CE COURT RÉCIT ÉVANGÉLIQUE :

Regarde le dessin de la page 54. Imagine que tu es là, parmi la foule qui écoute parler Jésus. Soudain, une femme se lève et s'écrie :

« Heureuse la femme qui t'a porté dans son sein et qui t'a nourri ! »

Mais Jésus lui répond :

« Heureux plutôt ceux qui écoutent la Parole de Dieu et qui la gardent dans leur cœur ! »

Luc 14, 27-29

Écoute bien dans ton cœur cette parole de Jésus. Redis-la doucement 2 ou 3 fois pour bien comprendre ce qu'elle veut dire : Quand nous écoutons la Parole de Dieu et la mettons en pratique, nous pouvons, comme Marie, être unis à Jésus et avoir la joie de Dieu dans notre cœur.

Parle ensuite à Jésus. Demande-lui de t'aider à bien écouter la Parole de Dieu. Termine par cette prière :

† Seigneur Jésus,
tu veux me conduire
sur le chemin du bonheur,
sur le chemin de la vraie vie.
Je veux te suivre
et me laisser guider par toi.
Donne-moi ton Esprit
pour que je comprenne mieux ta Parole
et que j'y sois fidèle
dans ma vie de tous les jours.
Amen.

Pour te préparer à rendre grâce

Il y a des jours où nous avons envie de chanter, de danser pour dire notre joie, notre émerveillement: par exemple, quand on nous fait une surprise, quand nous voyons quelque chose de très beau ou que nous retrouvons une personne que nous aimons beaucoup. Tu as sûrement connu de ces moments...

Maintenant, pose-toi cette question:

Si nous comprenons vraiment qui est notre Dieu et combien il nous aime, notre cœur ne sera-t-il pas débordant de gratitude, d'émerveillement? Écoutons ce que dit le psalmiste dans la Bible:

«Gens de toute la terre, venez et voyez ce qu'a fait le Seigneur. Dites à Dieu que ses oeuvres sont admirables. Louez Dieu avec des cris de joie, chantez à la gloire de son Nom!»

Psaumes 66 et 136

Comme le fait le psalmiste, le prêtre, au cours de la messe, nous invite plusieurs fois à rendre grâce.

Afin de préparer ton cœur, tu pourrais, dès maintenant, faire deux choses:

- Rappelle-toi tes joies de la semaine: ce que tu as vu de beau, ce que tu as réussi, les personnes qui t'ont manifesté de l'amitié ou fait plaisir... Toutes ces joies, tu pourras les apporter dans ton cœur quand tu iras à l'Eucharistie.
- Lis lentement la prière de la page suivante; elle te préparera à rendre grâce avec l'assemblée chrétienne.

Prière pour louer Dieu et lui rendre grâce

† **Béni sois-tu, Seigneur, pour ton amour immense!
Je te rends grâce de tout mon cœur.**

**C'est toi, Dieu notre Père, qui as créé l'univers
et tous les êtres qui l'habitent.
Tu nous as faits à ton image.
Tu partages avec nous ta puissance.
Tu nous confies la terre et nous invites au bonheur.**

**Béni sois-tu, Seigneur, pour ton amour immense!
Je te rends grâce de tout mon cœur.**

**Jésus, ton Fils, est venu parmi nous.
Dans ses gestes et ses paroles,
il nous a révélé ton amour.
Il est mort pour nous. Il est ressuscité.
Par son Esprit, il demeure avec nous
pour nous sauver du mal et nous guider vers toi.**

**Béni sois-tu, Seigneur, pour ton amour immense!
Je te rends grâce de tout mon cœur.**

Pour mieux offrir ta vie avec Jésus

Chaque fois que nous prenons part à l'Eucharistie, nous nous rappelons que Jésus a donné sa vie pour nous sauver. Nous célébrons aussi sa résurrection et la merveilleuse promesse qu'il nous a faite de revenir à la fin du monde et de nous ressusciter avec lui. Pour cette raison, nous disons ou chantons ensemble :

Nous proclamons ta mort,
Seigneur Jésus,
nous célébrons ta résurrection,
nous attendons ta venue dans la gloire.

En se sacrifiant pour nous, Jésus nous a donné l'exemple. Si nous voulons grandir dans son amitié, nous essaierons de nous unir à son offrande et de donner notre vie comme lui.

C'est cela que nous exprimons à la messe en présentant à Dieu le pain et le vin qui deviennent le corps et le sang de Jésus. Dieu notre Père accueille l'offrande de son Fils et, en même temps, il accueille la nôtre.

Voici ce que tu peux faire afin de te préparer à offrir ta vie avec Jésus:

- Réfléchis:

Pense à ce que tu as fait pendant ta semaine: ton travail, tes efforts pour être serviable, pour aider et encourager les autres...

Pense aussi à tes peines, à tes difficultés, à ce qui t'inquiète ou te fait peur...

Pense à tes rêves et à tes projets, à ce que tu voudrais réaliser dans la semaine qui vient...

- Dis ensuite la prière suivante:

† **Dieu notre Père,**
demain à la messe,
le prêtre va t'offrir le pain et le vin.
Avec lui, je t'offre ma vie,
mon travail de chaque jour,
mes rêves et mes projets.
Comme le pain et le vin seront changés
au corps et au sang de Jésus,
fais que mon cœur soit transformé
et tout rempli de ton amour.
Je te le demande par Jésus, le Seigneur.
Amen.

«Il n'y a pas de plus grand amour que de donner sa vie pour ceux que l'on aime.»

Jean 15, 13

Pour te préparer à partager le Pain de vie

Inviter quelqu'un à un repas, c'est une façon de lui dire: «Nous voulons resserrer notre amitié avec toi. Tu nous parleras de toi et nous te parlerons de nous. Ainsi nous nous connaîtrons mieux, nous serons davantage en communion les uns avec les autres.»

À la célébration eucharistique, c'est un peu la même chose... C'est pourquoi le prêtre nous dit avant la communion: «*Heureux les invités au repas du Seigneur!*»

Pour vivre pleinement cette rencontre avec le Seigneur, voici ce que tu pourrais faire:

- AVANT D'ALLER À LA MESSE:

Médite ces paroles de Jésus:

«Le pain du ciel, le vrai, c'est mon Père qui vous le donne. Car le pain de Dieu, c'est celui qui donne la vie au monde.

Je suis le pain de vie. Qui mange ma chair et boit mon sang a la vie éternelle et je le ressusciterai au dernier jour.»

Jean 6

Pour vivre et grandir, nous partageons chaque jour le pain de la terre. Pour vivre en enfants de Dieu et grandir dans l'amour, nous avons besoin du pain de Dieu, nous avons besoin de son Esprit. C'est pourquoi Jésus se donne à nous dans la communion.

Prie le Seigneur:

† **Seigneur Jésus,**
comme Zachée qui t'a reçu
dans sa maison,
je vais te recevoir avec joie
dans mon cœur.
Apprends-moi à marcher avec toi
sur les chemins de l'amour. Amen.

• QUAND TU AURAS COMMUNIÉ

Profite des quelques minutes qui restent pour parler à Jésus. S'il vient à toi, c'est pour t'unir à lui davantage et t'aider à vivre en enfant de Dieu.

Ces prières-ci pourront te servir pour commencer ton action de grâce :

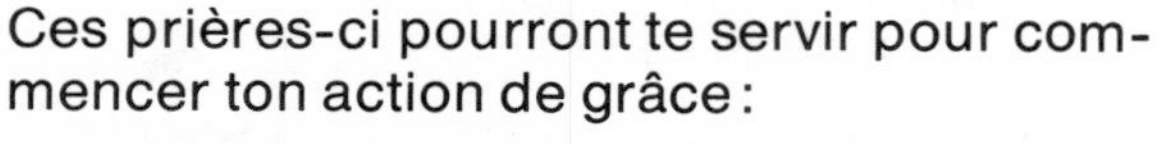

† **Seigneur Jésus,**
tu es venu dans mon cœur
pour me donner ta vie.
Je t'adore et je te remercie.

† **Seigneur Jésus,**
tu es mon ami et mon guide.
Je t'aime et j'ai confiance en toi.
Aide-moi à trouver
le chemin du vrai bonheur.

† **Seigneur Jésus,**
donne-moi ton Esprit
pour que je sois capable d'aimer les autres et de rendre le monde meilleur autour de moi.

• EN QUITTANT L'ÉGLISE

La messe est finie mais la vie continue, et Jésus est toujours avec toi.

Essaie de vivre une belle semaine dans l'amitié et la joie; souviens-toi de sa parole;

«À ce signe on vous reconnaîtra pour mes amis: à cet amour que vous aurez les uns pour les autres.»

Jean 13, 35

Pour mieux vivre le sacrement de la réconciliation

« Venez vous réjouir avec moi, car mon fils est revenu ! »

Luc 15, 23-24

À toi de décider

Les sacrements ne sont pas des tours de magie. Ils sont des rencontres spéciales avec Jésus dans la communauté chrétienne. Par eux, le Seigneur nous manifeste et nous offre son amour à différents moments de notre vie.

Tes parents ou tes éducateurs ont raison de t'encourager à les recevoir, car les sacrements sont des moments de grâce. Mais la décision dernière te revient : Jésus veut que tu ailles à lui librement et de tout ton cœur. Si tu choisis de répondre à son invitation, alors tu vivras une très belle expérience.

Comme tu le sais, tu seras, une fois ou l'autre, appelé(e) à célébrer la Réconciliation avec ta communauté chrétienne ou avec ta classe. Toutefois, quand tu en sens le besoin, tu peux toujours aller trouver un prêtre pour célébrer avec lui le pardon de Dieu.

Comment te préparer

Ta décision une fois prise, il faut te préparer soigneusement. Tu peux le faire soit chez toi, par exemple lors de ta prière du soir, soit à l'école ou à l'église avant de rencontrer le prêtre. L'important est que tu prennes ton temps et que tu te prépares bien. À cette fin, voici quelques suggestions.

• SOUVIENS-TOI QUE JÉSUS EST AVEC TOI

Détends-toi et recueille-toi comme tu le fais toujours avant de prier. Quand tu te sens paisible, demande à l'Esprit Saint de t'aider à comprendre que Jésus est vraiment là, avec toi.

Rappelle-toi avec quelle tendresse et quelle joie il accueillait les pécheurs qui venaient à lui.

Imagine que tu es avec Jésus, comme la Samaritaine au bord du puits, ou comme Zachée dans sa maison, ou encore comme Pierre près du lac. Parle avec Jésus aussi simplement qu'ils le faisaient.

• RÉFLÉCHIS SUR TA VIE

Raconte à Jésus tout ce qui va bien: tes joies, tes succès, tes espoirs... et remercie-le.

Raconte-lui ensuite ce qui te tracasse, ce qui te met mal à l'aise, ce que tu regrettes d'avoir fait ou de ne pas avoir fait.

Quand tu ne sais pas avec certitude si tu as bien ou mal agi, demande à Jésus de t'aider à voir clair; tu pourras aussi en parler au prêtre plus tard. N'oublie pas ceci: Jésus t'aime, il t'offre toujours son pardon pour tout ce que tu as pu faire de mal. Il veut maintenant t'aider à développer le meilleur de toi-même pour que tu aies plus de joie dans ton cœur.

CONTINUE TA PRÉPARATION COMME SUIT:

Prends un moment pour te demander ce que tu fais quand tu es avec d'autres...

On aime tous faire partie d'un groupe, d'une bande. C'est sympathique: on peut faire tant de choses amusantes et, parfois, des choses épatantes qui rendent service.

Parfois cependant, on se laisse entraîner à faire des choses avec lesquelles on n'est pas vraiment d'accord, par exemple voler, prendre de la drogue, faire des mauvais coups.

Comme tu le sais, ce n'est pas en suivant les autres qu'on prouve sa valeur. Bien au contraire: refuser de faire ce qu'on sait être mal est une preuve d'intelligence et de courage, même si on est tout seul à penser ainsi.

Si tu as des problèmes dans ta bande, parles-en à une grande personne en qui tu as confiance; elle t'aidera à t'en sortir.

Note: Au cas où tu voudrais des questions plus précises pour ton examen de conscience, tu en trouveras à la page 66.

• EXPRIME TON REGRET AU SEIGNEUR

Comme les pécheurs de l'Évangile, tu as mieux compris, auprès de Jésus, ce que tu as fait de mal. Demande pardon à Dieu pour tes péchés et dis-lui ton désir de faire mieux. Si tu le veux, tu peux dire cette prière:

† **Seigneur mon Dieu,**
prends pitié de moi
car j'ai péché contre toi.
À cause de ton amour,
pardonne-moi, purifie-moi.
Tu me feras revivre
et mon cœur sera plein de joie.

D'après le psaume 51

• DÉCIDE CE QUE TU VEUX FAIRE

Peut-être vois-tu déjà ce que tu feras pour progresser et rendre ainsi ta vie plus belle. Par contre, si tu hésites encore, tu pourras trouver de l'aide auprès du prêtre quand tu le rencontreras. Pense à ce que tu voudras lui dire.

Termine ta préparation comme suit:

† **Seigneur Jésus,**
je viens à toi avec confiance
pour célébrer ton amour et ton pardon.
Aide-moi à progresser dans ton amitié
pour que ta joie et ta paix soient en moi
et que je sache les partager avec d'autres.
Amen.

Si tu as besoin d'aide supplémentaire

Parfois, tu voudras des questions précises pour réfléchir à ta vie et prendre conscience de tes péchés. Dans ce cas, tu pourras te servir de cette page.

Lis d'abord la colonne de gauche. Puis, parcours lentement les questions de l'autre colonne. Continue ensuite ta préparation comme précédemment.

SOUVIENS-TOI DE CE QUE LE SEIGNEUR TE DEMANDE:

Aimer Dieu de tout ton cœur:

- le prier chaque jour;
- avoir confiance en lui;
- célébrer l'Eucharistie le dimanche avec ta communauté.

Aimer les autres comme Jésus nous aime:

- les respecter,
- respecter leur réputation et leurs biens;
- être juste, serviable;
- savoir partager;
- ne pas les entraîner au mal;
- apprendre à pardonner et à te réconcilier.

T'aimer toi-même:

- prendre soin de toi;
- ne rien faire qui puisse te faire du mal;
- développer tes talents et tes qualités;
- avoir confiance en toi et ne pas te décourager;
- respecter ton corps et son merveilleux pouvoir d'exprimer la tendresse et de donner la vie.

RÉFLÉCHIS À TA VIE À PARTIR DE CES QUESTIONS:

- Est-ce que je néglige de prier le Seigneur chaque jour?
- Est-ce que je manque la messe du dimanche sans raison valable?

- Est-ce que parfois je ferme mon cœur aux autres en refusant de les comprendre, de les aider, de partager?
- Quand je me mets en colère, est-ce que je refuse de me réconcilier?
- Est-ce que je fais du tort aux autres, par exemple:

- en volant ou en disant du mal des autres?
- en me moquant d'eux?
- en leur faisant du mal (surtout aux plus petits)?
- en les entraînant à mal faire?
- en trichant ou en mentant?
- en gardant rancune ou en me vengeant?

- Est-ce que je me fais du tort à moi-même:

- en ne prenant pas soin de moi?
- en étant trop paresseux pour développer mes talents et mes qualités?
- en manquant de confiance en moi?
- en me servant mal de mon corps?
- en prenant de la drogue ou de l'alcool?

Rappelle-toi comment on célèbre la Réconciliation

• Tu vas trouver le prêtre :

Le prêtre t'accueille au nom de Jésus et de l'Église. Tu fais le signe de la croix, puis tu écoutes le prêtre te dire une parole de Dieu.

• Tu parles au prêtre de ta vie :

Comme si tu parlais à Jésus lui-même, tu dis tes péchés au prêtre.

Le prêtre t'encourage à faire mieux, puis il te donne une *pénitence* à accomplir pour réparer tes péchés.

Tu dis alors une prière de contrition pour demander pardon à Dieu.

• Le prêtre te donne l'absolution, le signe du pardon de Dieu. Il dit ces paroles :

« Et moi, au nom du Père et du Fils et du Saint-Esprit, je vous pardonne tous vos péchés. »

Tu réponds : **« Amen. »**

• Avec le prêtre, tu rends grâce au Seigneur :

Par exemple, le prêtre peut te dire :

« Rendons grâce au Seigneur, car il est bon. »

Tu réponds : **« Car éternel est son amour. »**

• Le prêtre te souhaite la paix de Dieu et tu le quittes en le remerciant.

APRÈS TA CONFESSION

• Remercie le Seigneur de t'avoir pardonné et demande-lui de t'aider à faire mieux. Voici une prière que tu aimeras peut-être lui dire :

† **Seigneur, tu fais pour moi**
des merveilles :
tu me pardonnes mes fautes,
tu me rends capable d'aimer,
tu me donnes ta joie et ta paix.
Je te rends grâce de tout mon cœur.

• Rappelle-toi ce que tu veux faire de spécial pour mieux répondre à l'appel de Jésus et grandir dans l'amour.

• Pense à accomplir la *pénitence* que le prêtre t'a donnée.

Pour prier la Vierge Marie

Pendant l'année liturgique, nous honorons à plusieurs reprises la Vierge Marie. Celle-ci occupe une place à part dans le coeur des chrétiens parce qu'elle est la mère de Jésus et aussi notre mère.

Au cours des siècles, bien des artistes chrétiens, peintres et sculpteurs, ont représenté la Vierge Marie. Beaucoup de leurs oeuvres sont, aujourd'hui encore, vénérées en divers pays. Tu en aperçois quelques-unes sur cette page.

L'une des façons d'honorer Marie est le *chapelet* (ou *rosaire*). En le récitant, nous méditons les principaux événements de la vie de Jésus et de Marie. On appelle ceux-ci *les mystères du rosaire*. C'est ce dont te parlent les trois pages suivantes.
Si tu n'as pas de chapelet, demande à tes parents de t'en montrer un et de t'expliquer comment on s'en sert.

Mystères joyeux

Durant l'enfance de Jésus, Marie a partagé, avec Joseph, de merveilleuses expériences. Sa joie la plus grande, bien sûr, ce fut la naissance de Jésus. Les événements de ces temps heureux, on les appelle des mystères joyeux.

Aujourd'hui, avec Marie, nous pouvons nous réjouir, car la venue de Jésus est une bonne nouvelle qui nous remplit d'espérance :

- Jésus est avec nous ;
- il se fait notre ami ;
- il nous délivre du péché ;
- il nous donne une vie nouvelle.

Si tu veux partager la joie de Marie, voici ce que tu peux faire. Imagine que tu es avec elle et que tu la regardes durant ces heureux événements :

- quand elle reçoit le message de Dieu et qu'elle répond : *«Je suis la servante du Seigneur»* ;
- quand elle attend son bébé et visite sa cousine Elisabeth ;
- quand elle voit Jésus pour la première fois et le couche dans la crèche ;
- quand elle le voit grandir et travailler avec Joseph.

En méditant ces mystères joyeux, dis lentement le *Je vous salue, Marie* autant de fois que tu le désires. Demande à la sainte Vierge de t'aider à connaître Jésus de plus en plus.

Mystères douloureux

Près de la croix, la Vierge Marie pleure. Une chose terrible vient d'arriver : Jésus a été arrêté par ses ennemis et condamné à mort.

Marie se souvient de ce que Jésus a fait pour les gens de son pays, comment il les a enseignés et guéris. Est-ce possible qu'on traite ainsi son fils ?

Tout cela est injuste, mais Marie ne peut rien. Elle se tient simplement près de son fils et souffre en silence avec lui. Dans son cœur de mère, elle ressent tout le mal qu'on fait à Jésus.

Toi qui aimes Marie, souviens-toi de sa grande peine. Imagine que tu l'accompagnes dans ses mystères de douleur :

- quand elle apprend que Jésus va mourir ;
- quand elle l'aperçoit, couronné d'épines et portant une lourde croix ;
- quand on le cloue à cette croix ;
- quand elle entend les cris de haine de la foule ;
- quand Jésus agonise et meurt.

En méditant sur ces mystères, dis lentement le *Je vous salue, Marie* autant de fois que tu le désires. Demande à Marie de t'aider à croire en Jésus et à l'aimer de plus en plus.

Mystères glorieux

Après le Vendredi saint, il y eut le grand jour de Pâques, le jour de la résurrection de Jésus!

Cet événement extraordinaire, ce mystère glorieux remplit la Vierge Marie d'une joie immense: son fils avait triomphé de la mort, il était vivant pour toujours d'une vie nouvelle!

Puis il y eut d'autres grands événements: le jour de *l'Ascension,* Jésus retourna auprès de son Père et, au matin de la *Pentecôte,* il envoya le Saint-Esprit qu'il avait promis.

Plus tard, quand le moment de mourir fut venu pour Marie, Jésus vint la chercher et lui donna de ressusciter comme lui. C'est ce mystère que nous fêtons le jour de *l'Assomption.*

Quand tu diras le *Je vous salue, Marie,* pense à ces grandes choses, à ces merveilles que Dieu a faites pour Jésus et pour Marie.

Souviens-toi que Jésus et Marie sont aujourd'hui dans la gloire de Dieu, au Paradis. Ils t'aiment, ils veulent t'aider sur la route de ta vie afin que tu les rejoignes un jour. Demande-leur de te faire grandir dans l'espérance.

Pour invoquer les saints

Durant l'année liturgique, nous célébrons aussi le mystère de l'amour de Dieu dans la vie des saints.

• De grands amis du Seigneur

Les saints sont des chrétiens qui ont marché fidèlement à la suite de Jésus et que l'Église nous propose comme modèles. Chaque jour, nous fêtons l'un ou l'autre d'entre eux dans la liturgie de la messe.

Par ailleurs, il y a auprès de Dieu des milliers de saints que nous ne connaissons pas. L'Église ne veut pas que nous les oublions. Aussi nous invite-t-elle à les honorer par une fête spéciale. Celle-ci s'appelle la *Toussaint;* elle a lieu le premier novembre.

• Des gens comme nous

Les saints n'étaient pas différents de nous. Ils avaient des qualités et des défauts, ils ont connu des difficultés, il leur est arrivé de se tromper. Quelques-uns, tels saint Augustin et saint François d'Assise, ont été de grands pécheurs avant de se convertir. Saint Cyrille d'Alexandrie avait, dit-on, mauvais caractère!

Mais tous ont fait effort pour ouvrir leur cœur au Saint-Esprit et se laisser transformer par l'amour de Dieu.

• Un chemin ouvert à tous

C'est merveilleux de voir la grande diversité chez les saints et les saintes. On y trouve des ouvriers, des bergers, des savants, des papas, des mamans, des rois, des reines, des enfants, des adultes, des riches, des pauvres, etc.

Il y a aussi des saints de diverses races. Tous sont nos amis, car ils font partie, avec nous, de la grande famille des chrétiens. Toutefois, chaque pays a ses préférences; par exemple, saint Patrick est très populaire auprès des Irlandais, sainte Thérèse de Lisieux auprès des Français et le Frère André chez les Canadiens.

Il est bon de lire la vie des saints; leur exemple nous encourage à marcher, nous aussi, sur les pas de Jésus. Certaines vies, comme celle de saint Jean Bosco, sont pleines d'aventures captivantes et souvent drôles.

Nous prions aussi les saints. Nous leur demandons d'intercéder auprès de Dieu en notre faveur. Une façon de les prier s'appelle *litanies*: ce sont de courtes invocations qu'on leur adresse en vue d'obtenir leur aide. En voici un exemple:

† **Sainte Marie, Mère de Dieu, priez pour nous.**
Saint Joseph, priez pour nous.
Saint Jean le Baptiste, priez pour nous.
Saint Pierre et saint Paul, priez pour nous.
Saint François Xavier, priez pour nous.
Sainte Bernadette, priez pour nous.
Sainte Marguerite Bourgeois, priez pour nous.
Tous les saints et saintes du paradis, intercédez pour nous.

Nous pouvons également prier Dieu en pensant aux saints et aux saintes du ciel:

† **Ô Dieu très saint et très bon,**
nous te bénissons pour nos frères
et nos sœurs que tu as accueillis
dans ta gloire.
Apprends-nous à marcher à leur suite
sur les pas de Jésus afin qu'un jour
nous puissions les rejoindre
et chanter à jamais ta louange. Amen.

Prières pour diverses circonstances

Comme avec nos meilleurs amis, nous pouvons parler au Seigneur de tout ce qui nous arrive.

Ces dernières pages de ton livre te proposent quelques prières pour certains moments de ta vie.

Le mieux, cependant, serait que tu trouves tes mots à toi pour dire à Dieu ce que tu ressens à l'occasion de tel ou tel événement. N'oublie pas ceci : l'Esprit de Jésus est avec nous, il nous aide à inventer notre prière.

AVANT LES REPAS

† **Seigneur, nous te rendons grâce**
pour ce repas qui va renouveler nos forces.
Bénis ceux et celles qui l'ont préparé.
Garde-nous tous unis dans ton amitié
et apprends-nous à partager notre pain
avec ceux qui n'en ont pas. Amen.

À L'OCCASION D'UN JOUR DE FÊTE

† **Seigneur notre Dieu,**
nous sommes rassemblés dans l'amitié
autour de cette table pour fêter...
Nous te rendons grâce,
nous t'offrons notre joie
et te prions de nous bénir. Amen.

POUR MON GROUPE D'AMIS

† **Seigneur Jésus,**
aujourd'hui je voudrais
te parler de mes amis.
Comme tu le sais, on a beaucoup
de plaisir à être ensemble.
On s'amuse bien et, parfois,
on peut rendre service
ou donner de la joie aux autres.
Mais, tu le sais aussi,
il nous arrive de faire des mauvais coups,
des choses qui causent du tort
aux autres et à nous-mêmes.
Aide-nous à chasser ces mauvaises
idées et à en trouver de bonnes
qui créeront la joie et l'amitié
autour de nous. Amen.

DURANT LES VACANCES

† **Seigneur Jésus,**
c'est agréable d'être en vacances!
On peut se reposer, se promener,
faire du sport et mille autres choses
intéressantes.
Mais je ne veux pas t'oublier
pendant mes vacances,
toi, mon meilleur Ami.
Je te parlerai souvent dans mon cœur.
J'essaierai aussi de penser aux autres,
en particulier aux grandes personnes,
car elles aussi ont besoion de repos
et d'attention.
Seigneur Jésus, je te rends grâce
pour la joie des vacances! Amen.

QUAND JE SUIS DE MAUVAISE HUMEUR

† **Seigneur Jésus,**
je suis de mauvaise humeur.
Il y a des jours où tout va mal
et aujourd'hui, c'était comme ça.
Alors, je n'ai pas grand-chose à te dire...
mais je veux quand même
te dire bonsoir.
Je vais essayer de m'endormir très vite
pour oublier cette mauvaise journée.
J'espère que ce sera mieux demain.
Aide-moi, je t'en prie, à retrouver
la paix et la bonne humeur. Amen.

QUAND J'AI ENVIE DE MAL FAIRE

† **Seigneur Jésus, toi qui me connais bien,**
tu vois ce qui se passe dans mon cœur:
j'ai envie de faire le mal
et pourtant, je ne le veux pas.
Je sais que tu me comprends
et que tu es prêt à m'aider.
Donne-moi, je t'en prie,
le courage de résister à cette tentation.
Par ton Esprit, réveille en moi le goût
de faire le bien et donne-moi des idées
pour aider les autres à vivre dans ton
amitié. Amen.

QUAND JE SUIS TRISTE

† **Seigneur Jésus,**
je suis triste ce soir parce que...
Toi aussi, parfois, tu as été triste
parce que les gens ne voulaient pas
t'écouter,
parce qu'ils essayaient de te faire du mal,
parce que tu n'arrivais pas à réaliser
ton grand Rêve et que même tes amis,
pendant ta Passion, t'ont laissé tomber.
Je t'en prie, donne-moi du courage.
Je sais que tu es toujours près de moi
et que tu es mon Ami.
J'ai confiance en toi.
Amen.

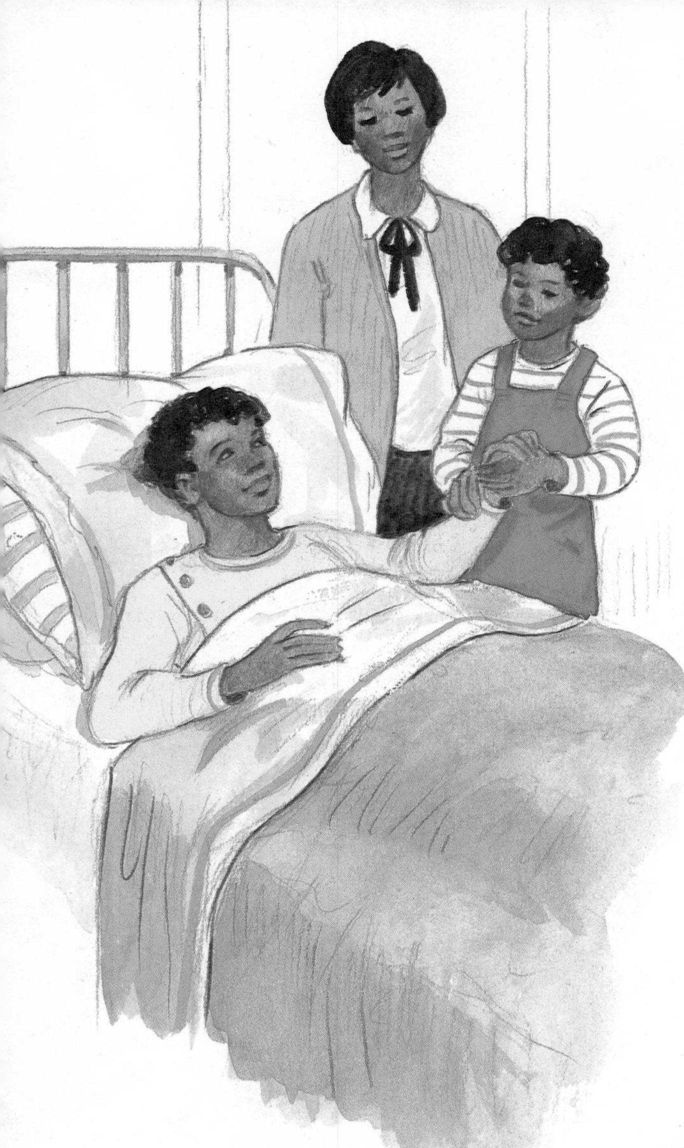

QUAND UNE PERSONNE QUE J'AIME EST MORTE

† Dieu notre Père,
toi qui nous as créés pour la vie éternelle,
nous te prions aujourd'hui pour X...
qui vient de nous quitter.
Daigne, en ta grande bonté,
l'accueillir dans ton Royaume
où tout n'est qu'amour, joie et lumière.
Nous te le demandons par ton Fils Jésus
que tu as ressuscité d'entre les morts
et qui règne à jamais auprès de toi. Amen.

† Seigneur Jésus, tu as pleuré
quand ton ami Lazare est mort.
Tu comprends notre peine.
Donne-nous du courage en ce moment difficile.
Accorde ton réconfort surtout à ...
qui vont se sentir très seuls.
Aide-nous à nous consoler en pensant
que X... est maintenant dans la joie
pour toujours auprès de toi. Amen.

QUAND QUELQU'UN QUE J'AIME EST MALADE

† Seigneur Jésus,
tu sais que X... est malade.
Nous aimerions tant que les docteurs
l'aident à guérir bien vite!
En attendant, donne-lui du courage
pour supporter son mal
et garder confiance.
Aide-nous à deviner ce qui pourrait
l'encourager et lui faire plaisir. Amen.

«Je suis la résurrection. Qui croit en moi, fût-il mort, vivra.» *Jean 11, 25*

GLOIRE AU SEIGNEUR DE L'UNIVERS!

Dans l'immensité de l'univers, parmi des milliards d'étoiles, Dieu nous a donné pour demeure la petite planète Terre. Vue de l'espace, la terre est bleue, avec de longues écharpes de nuages blancs. Elle est très belle.

La terre est comme un immense jardin où Dieu voudrait voir tous ses enfants vivre heureux et libres, dans la paix et l'amitié. C'est cela le «Rêve» de Dieu!

Prière de louange

† **Pour le soleil qui fait vivre**
et qui réjouit le cœur.

Gloire à toi, Seigneur!

Pour la lune et les étoiles
qui illuminent la nuit.

Gloire à toi, Seigneur!

Pour la fraîcheur de l'eau qui désaltère
et qui répand la vie.

Gloire à toi, Seigneur!

Pour la chanson du vent dans les arbres
et la pluie qui nourrit la terre.

Gloire à toi, Seigneur!

Pour les poissons, les oiseaux
et toutes les bêtes de la forêt.

Gloire à toi, Seigneur!

Pour la joie, l'amitié, la vie et le bonheur.

Gloire à toi, Seigneur!

Continue la prière comme tu le veux, puis termine par ce qui suit:

† **Dieu tout-puissant,**
tu as fait l'univers immense
et la terre très belle pour notre joie.
Je te rends grâce pour ces merveilles
et je t'adore de tout mon cœur,
car personne n'est comme toi
au ciel et sur la terre.
À toi louange et gloire
pour les siècles des siècles. Amen.

POUR NOTRE PLANÈTE TERRE

Malheureusement, tout ne va pas bien sur la terre. Chaque jour, la radio et la télé nous parlent de pollution, de famine, de guerre, de chômage.

Il y a des millions de réfugiés qui n'ont plus de pays, plus de maison, plus d'espoir, plus de pain. Il y a des gens qui sont trop riches et qui refusent de partager.

En voyant tout cela, il faut prier Dieu de nous aider à changer notre cœur et à changer le monde.

Dieu de bonté,
tu nous as confié la terre
pour que nous en prenions soin
et que nous partagions ses richesses.
Donne-nous le courage de faire les efforts
et les sacrifices nécessaires
pour accomplir ta volonté.
Nous te le demandons
par Jésus, le Seigneur.
Amen.

† **Esprit Saint,**
toi qui nous rends capables d'aimer
comme Jésus, nous t'en supplions,
change le cœur de ceux qui veulent
faire la guerre, de ceux qui veulent
enlever aux autres le pain ou la liberté.
Donne du courage à ceux et celles
qui luttent contre l'oppression.
Mets dans le cœur de tous les gens de la terre
le désir et le courage d'accomplir la justice
et de faire la paix. Amen.

POUR AFFIRMER MA FOI

Il est bon, de temps à autre, de nous redire notre foi chrétienne. Tu peux le faire avec le *Symbole des Apôtres* qu'on récite à la messe, ou encore avec la prière suivante:

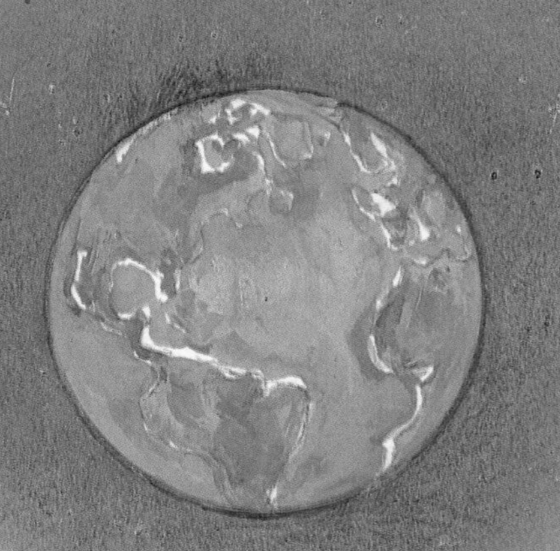

† Dieu notre Père,
tu crées le monde, tu nous fais vivre,
tu partages avec nous ta puissance,
tu fais de nous tes enfants.

Nous te rendons grâce
et nous croyons en toi.

Seigneur Jésus, Fils bien-aimé du Père,
tu as habité notre terre.
Tu nous donnes la vie éternelle
par ta mort et ta résurrection.
Tu es toujours vivant parmi nous.

Nous te rendons grâce et nous croyons en toi.

Esprit Saint,
tu nous unis au Père et au Fils,
tu mets l'amour en nos cœurs,
tu nous rassembles dans l'Église.

Nous te rendons grâce et nous croyons en toi.

Dieu notre Père, Seigneur Jésus, Esprit Saint,
vous ne faites qu'un dans l'amour,
vous nous sauvez du mal et de la mort,
vous nous invitez à partager votre vie,
votre joie éternelle.

Nous vous rendons grâce et nous croyons en vous.